개정판

위로를 위해서

위로가 필요하면 찾아오는 곳

그리고 첫 번째 이야기.

신희수 지음

위로를 위해서 개정판

발 행 | 2024년 8월 26일
저 자 | 신희수
펴낸이 | 한건희
펴낸곳 | 주식회사 부크크
출판사등록 | 2014.07.15.(제2014-16호)
주 소 | 서울특별시 금천구 가산디지털1로 119 SK트윈타워 A동 305호
전 화 | 1670-8316
이메일 | info@bookk.co.kr

ISBN 979-11-419-0232-2

www.bookk.co.kr
ⓒ 신희수 2024

위로를 위해서

개정판

신희수 지음

목차

'위로를 위해서'에서 온 첫 번째 편지

안녕하세요. '위로를 위해서'입니다.

 사람들은 살면서 '위로'가 꼭 필요한 존재인 것 같아요. 그들의 힘든 점에서 비롯된 공감과 괜찮을 거라는 토닥임. 일상에서 상처 입은 마음은 어떤 약도 통하지 않지만, 위로 한마디에 다시 일어서고 버틸 수 있고, 힘든 길에 한 발짝 더 내딛죠. 그런 힘을 가진 위로가 있지만 서로 비교하고 싸우고 잔소리를 하기 마련이에요. 마음의 상처를 오히려 더 벌리는 행동이죠.

 위로의 힘은 모두가 알고 있다고 생각해요. 왜냐하면, 우리는 힘들 때 위로의 가사가 들어있는 노래를 들으며 위로의 에세이를 읽고, 위로되는 사람과 같이 있으려고 하죠. 위로는 근처에서 쉽게 찾아볼 수 있지만, 위로를 해주는 이는 별로 없다고 느껴요. 내가 뭐라고 남에게 위로할 수 있을지 겁이 나기도 할 테고, 나도 못 하는데 남에게 오지랖을 부리는 것은 아닐까 선뜻 나서질 못하죠. 하지만 위로는 어려운 게 아니에요. 그의 말을 경청하고 공감하고 토닥여주는 것. 그게 위로에요. 위로는 사람들에게 해결책을 제시하는 게 아니죠. 그러니 위로를 어려워하지 않았으면 좋겠어요.

 그런 바람으로 이야기를 풀어나간 것이 '위로를 위해서'예요. 만약 위로를 해주는 곳이 있다면. 더 나아가서 공간에 있는 것만으로도 위로가 되는 곳이 있다면. 일상에서 상처를 입은 많은 사람과 그들의 이야기를 들으며 위로를 준비하는 카페가 있다면 어떨까. 상상만으로도 따뜻한 이야기가 될 것 같다는 생각에 글을 쓰기 시작했어요. 오늘도 힘든 하루를 보낸 우리를 위해 쓴 이야기로 가득한 책이니, 방금 나온 따뜻한 커피 한 잔처럼 천천히 즐기셨으면 좋겠어요.

이제 카페의 문을 열고 들어가 볼까요? 좋은 하루가 되길 바라며 인사할게요.

"어서 오세요. '위로를 위해서'입니다."

1

첫 번째 위로,
네 옆에 있겠다

소재를 모르는 담요였지만
분명 그들이 덮어줬을 것이라는
생각이 들었다.
그리고 나무에 속삭이듯 얘기했다.
"나무야, 네 옆에 계속 있을 수 있겠다."

위로를 위해서

벚꽃잎이 잔뜩 휘날리고 있었다. 벚나무로 둘러싸인 공원. 그래서 사람들은 이곳을 '봄의 정원'이라고 부른다. 사진을 찍으러 온 사람, 연인에게 고백하는 사람, 얇은 외투를 입고서 봄을 즐기러 온 사람 등 여러 사람이 한데 뒤엉켜서 발 디딜 곳 하나 없었다.

그런 봄의 정원에 분홍빛 공원이 질리지도 않는지 매번 찾아오는 남자가 있었다. 계절을 헷갈린 듯한 두꺼운 검은 외투를 입고서 벚나무를 차례로 쳐다보고는 쓸쓸히 제 갈 길 가는 남자. 그는 사람들이 연인들과 또는 가족들과 짝을 지어 오는 봄의 정원에 유일하게 혼자서 오는 사람이었다. 분홍색으로 가득 찬 공원에 봄을 느끼기 위해 밝은색의 옷으로 입은 사람들 사이에 검은색 외투는 눈에 띄기 쉬웠다.

사람들은 공원을 돌아다니는 그에게 사진을 찍어달라고 부탁하지만 못 들은 것처럼 그냥 지나갈 뿐이었다. 부탁을 거절당한 사람들의 눈초리에도 그는 아무 말도 없이 뚜벅뚜벅 걸었다. 아무도 그를 막아 세울 수는 없을 것 같았다. 마치 걸으라는 명령어만 입력한 로봇처럼 어떠한 생각도 할 수 없고 무작정 걷기만 하는 고철 덩어리. 물론 로봇처럼 속도 차가운 사람일 테다. 남자는 다시 수많은 인파 속으로 몸을 감추듯 사라졌다.

시간이 지나 사람들도 쌀쌀한 저녁 날씨에 봄의 정원의 사진을 마지막으로 찍고 집을 하나둘씩 가고 있었다. 그 수많았던 인파가 순식간에 사라지자, 인파에 묻혔던 남자가 모습을 드러냈다. 저녁이 되어서 검은 외투는 잘 보이지 않았지만, 분위기를 보아 그가 분명했다. 남자는 줄지어 서 있는 벚나무 중의 하나를 골라 그 옆에 털썩 주저앉았다. 아무도 없는 공원에서 무엇을 할 계획인지는 모르지만, 기운조차 없는 것처럼 힘없이 앉아있었다.

"나무야, 나무야, 나무야."

그의 첫 마디는 나무를 부르는 말이었다. 마치 오랜만에 본 친구처럼 부르고 있었다. 나무를 쓰다듬으려 팔을 올렸지만 무거운 물건을 들고 있는 것처럼 팔이 올라가지 않았다. 애써 올리려 했지만 이내 짧은 한숨만 내쉬며 쓰다듬기를 포기했다.

"나무야, 너도 봄에 오고 봄에 가는구나. 얼마 안 남았네."

이미 많은 잎을 떨군 벚나무에 아쉽다는 눈빛을 보내지만. 나무는 아무 말도 할 수 없었다. 중얼거리는 어투로 나무에 말을 계속해서 거는 것이 듣지도 말하지도 못하는 나무에 계속해서 대답을 요구하는 것 같았다.

"다음 봄에도 올 거지? 나도 올 건데. 기다려 줄 거지?"

마치 한 계절에만 만나는 연인에게 다음을 기약하는 것처럼 애절함이 반쯤 섞인 말을 건네고는 이내 한숨을 연이어서 쉬고 있었다. 그리고 나무에 살짝 기대어 이내 잠을 청하고 있었다. 다른 사람이 봐도 불편한 자세였지만 남자에게는 세상에서 제일 편안한 자세처럼 보였다.

하늘에 빛이 조금씩 물드는 새벽 5시쯤에 남자는 감았던 눈을 슬며시 뜨고는 공원의 시계를 보았다. 5시를 향해 달려가는 시곗바늘이 눈에 가장 먼저 띄었다. 남자는 나무의 밑부분을 살짝 토닥이고는 나무의 가까이에 입을 대고 속삭이듯 얘기했다.

"내일도 또 올게. 아니, 오늘이라고 해야 하나?"

나무는 그의 말에 화답이라도 하듯 벚꽃잎을 그의 머리 위로 떨어뜨렸다. 남자는 이내 공원 밖으로 빠져나와 다른 곳으로 향해 걸어갔다. 그러자 약속이라도 한 듯 사람들이 다시 공원으로 밀려 들어왔다.

봄의 정원. 이곳은 사람들이 추억을 만들기 좋은 곳이었다. 이만한 곳은 없을 테니까. 동네 사람들도 이 봄의 정원을 이용해 지역 축제를 운영하거나 벚꽃이나 분홍색을 도배한 카페 등을 만들어 사람들과 즐기고 있었다. 지역 신문은 물론이고 봄이 되면 각종 방송사에서 도배되는 것은 물론이고 드라마와 영화까지도 자주 나오는 단골 배경이었다. 개인 카페가 우후죽순으로 생겼지만, 그들의 가격은 모두 저렴하다. 높은 가격을 부를 수 있는 위치에 있는 카페지만 다들 돈을 벌겠다는 생각보다는 봄의 정원을 다 같이 즐기자는 생각으로 카페를 개업했기 때문이었다. 그 수많은 카페 사이, 간판에 '카페'라는 글자가 없는 곳이 한 곳이 있었다.

'위로를 위해서'

그곳의 이름이다. 사람들은 이 이름을 들으면 책이나 영화 이름이냐고 물어보지만, 이곳의 주인인 하영에게는 의미가 깊은 이름이었다. 누구든 괜찮다. 무엇을 먹고 마시든, 오는 사람들의 자유였다.

"선배님, 오늘도 아무도 안 오지 않을까요?"

"안 와도 괜찮아. 뭐 그냥 경치 구경만 하다 가는 거지."

'위로를 위해서'의 직원이자 하영의 학교 후배인 태진이 탁자를 손가락으로 두드리다가 물었다. 하영은 태진의 질문에 매번 하던 똑같은 대답을 했다. 태진은 그런 하영에게 이질감을 느꼈다. 손님이 없어도 되는 카페가 있다니, 이 좋은 터에서 그런 카페가 있다면 금방 망할 것이 분명했다.

그는 어떻게든 일터가 망하지 않게 하겠다는 노력을 해왔지만, 그럴 때마다 하영이 괜한 짓을 하지 말라고 말렸다. 태진은 그녀의 말에 자신이 왜 바리스타 자격증을 땄는지 모르겠다며 맞받아쳤다. 하지만 하영도 지지 않고 가만히 있으면 월급을 준다는데 왜 뭘 하려고 드는지 궁금하다고 물었다.

"그런 선배님이 더 특이해요. 이런 노른자 땅에서 뭐라도 해야 유지가 되죠. 옆 카페는 하루에 100명이 온대요. 우리는 문소리가 나면 여기는 장사 안 하냐는 질문만 받고, 너무 답답해요."

"그러면 옆 카페 가든가. 거기는 직원을 뽑아도 뽑아도 부족하다니까."

하영의 심드렁한 대답에 그는 말문이 막혔다. 그런 대답을 하는 하영이 느긋해서 그런 건지, 장사에 관심이 없는 건지 이해를 못 하고 있었다. 하영은 태진의 말문을 막히게 하고는 계속해서 창가 쪽 자리에 앉아서 무언가를 주시하듯이 바깥만 보고 있었다.

"태진아, 너 저기 남자 말이야. 본 적 있지?"

"검은 외투의 남자요? 당연하죠. 저 남자는 수백 번이고 봤을 거예요."

태진을 바라보지도 않고 물어보는 하영의 질문에 그는 익숙하다는 듯이 대답했다. 하영은 요새 며칠 동안 검은 옷의 남자를 보고 있었다. 계속해서 나타나고 목적지가 없는 듯이 돌아다니는 것에 어떤 목적이 있을지 궁금했다.

"흠, 태진아, 저분이 왔으면 좋겠다."

"갑자기 무슨 말이에요? 저 사람이 여기에 올까요?"

"안 오면 데려와야지."

"네?"

아까까지도 손님이 없어도 된다는 그녀의 태도가 정반대로 바뀌자, 태진은 자신이 잘못 들은 줄로 알고 있었다. 갑자기 그녀에게 무슨 생각이 들었는지 궁금했지만, 알고 싶지는 않았다. 분명 말도 안 되는 고집을 부리며 태진에게 억지를 부렸을 것이었다. 하영은 가만히 서 있는 태진에게 남자를 데려오라고 시키면서 친절하게 모셔 오라는 말도 덧붙였다.

태진의 눈에 검은 외투의 남자는 손님이 아니라 카페의 문제가 될 것만 같아서 여러 가지 말로 핑계를 지어댔다. 손님이 없어서 싫다고 한 그였지만, 남자를 카페에 들이고 싶지는 않았다. 아마 노숙자일 테다. 밖에서 잠을 자고, 옷은 늘 똑같은 검은 외투. 만약 그를 카페에 들이면 그와 비슷한 노숙자들이 카페에 들어올 것이 뻔했다.

"여긴 손님이 없어서 싫다는 사람 아니었니? 반응이 왜 그래?"

태진이 했던 말이 하영의 무기가 될 줄 모르고 있었다. 괜히 말했다고 생각한 그는 하영의 말에 한숨을 쉬고 앞머리를 올리고 있었다.

"선배님, 제 말이 그 말이 아니잖아요. 저는 그게 그러니까…"

태진이 뭐라고 변명하든 하영은 이미 그를 손님으로 찍었고, 그를 반드시 자신의 카페에 들어오게 하겠다는 다짐을 세운 듯 절대로 바뀌지 않을 확고한 표정을 지었다. 그녀가 그런 표정을 지을 땐 어떤 일이 있어도 절대로 굽히지 않겠다는 뜻이었다. 결국, 태진은 다용도실로 들어가 얇은 외투를 걸치고 나와 사람들로 북적이는 공원을 지나다녔다. 하마터면 무리에 휩쓸릴 뻔했지만, 검은 외투의 남자를 찾는 건 어려운 일이 아니었다. 그는 검은 외투의 남자가 놀라지 않게 다가가 그의 어깨를 툭툭 건드리고 말을 걸었다.

"안녕하세요, 저는 '위로를 위해서'의 직원입니다. 혹시 저희 카페에 오실 생각이 있으실까요?"

"……."

"저희 카페는 무엇을 하든지 괜찮은 곳입니다."

"……."

남자는 아무 말 없이 태진을 쳐다보았다. 그의 눈에는 눈곱이 잔뜩 꼈고, 입가는 마르다 못해 쩍쩍 갈라지고 있었다. 사람들이 바쁘게 움직이는 공간에서 둘은 서로를 바라보며 가만히 있었다. 그러다가 남자는 고개를 돌려 이곳을 떠나려고 했다. 태진은 그를 붙잡으려고 했지만 친절하게 모시라는 하영의 말을 기억하고 다시 카페로 돌아왔다.

그는 입었던 외투를 벗으며 의자 등받이에 걸쳐두고 앉았다.

"아예 말을 안 하시던 데요? 뭐 관심도 없으신 것 같고."

하영은 태진의 말을 들었지만, 그를 보지 않고 더 창가에 가까이 다가가 뚫어지게 쳐다보며 물었다.

"친절하게 했어? 표정은? 말실수를 한 건 아니고?"

"첫째, 엄청 친절했고요. 둘째, 표정은 더 친절하게 웃었죠. 셋째, 제가 말실수하는 거 본 적이 있어요?"

하영의 심문하는 듯한 말투에 태진은 조곤조곤 반박했다. 왜냐하면 그는 최대한 친절하게 의사를 물어봤지만, 아무런 대답이 없었기에 남자가 여기에 관심이 없다는 확신이 들었다.

"저녁에 갈까? 사람 없을 때 말이야."

"그때까지 뭐 할까요? 빤히 쳐다보면서 저 남자 초상화라도 그릴까요?"

태진은 그를 계속해서 주시하고 있는 하영에게 포기하라는 듯 농담을 했지만, 하영은 작은 반응도 없이 계속 창밖만 바라봤다. 마치 초능력자가 그를 투시하고 그의 속마음을 읽으려고 시도하는 모습이었다. 아니면 형사가 몽타주를 기억하고서는 범인이 맞는지 계속해서 확인하는 것 같기도 했다.

태진은 지쳤는지 잠시 밖에서 바람 좀 쐬겠다고 하며 밖으로 나갔다. 테라스 난간에 기대어 흩날리는 벚꽃잎을 보고 있었고, 벚꽃잎이 테라스에 수북이 쌓인 모습을 보고 구석에 기대져 있던 빗자루를 들고 쓸어내기 시작했다. 아무리 쓸어도 벚꽃잎이 계속 떨어지니 쓸어도 쓸어도 바닥은 벚꽃잎이 가득했다. 그는 혹여나 하영에게 들릴 수 있으니 작은 목소리로 구시렁댔다.

"선배님이 카페 차린다고 할 때부터 알았어야 했어. 이럴 줄 알았으면, 아니다, 괜히 이런 말 하다가 들키면 한 달은 가지고 놀 거야. 아르바이트를 받아주는 곳이 없으니까 내가 여기에 있는 거지. 휴, 청소나 하자."

"뭔 청소를 시끄럽게 해?"

태진이 뒤를 돌아보니 계속 창가를 바라보던 하영이 가벼운 외투를 입고 그를 바라보고 있었다. 깜짝 놀라며 뒤로 엎어지며 쌓아났던 벚꽃잎 더미에 넘어지자, 하영도 덩달아 놀랐다.

"아니 왜 여기 있어요?"

"왜? 사장은 카페 구석에 처박혀 있으라는 거야? 왜 이렇게 놀라고 있어?"

하영은 태진을 믿지 않는 건 아니었지만, 공원을 어슬렁거리는 그에게 왜인지 관심이 갔다. 얘기를 나눠보고 싶다는 생각도 들고, 그를 여기에 있게 하는 사연을 듣고 싶었다.

"하, 선배님도 얘기해 보면 알 거예요. 어떤 사람인지."

"그렇게 오랫동안 얘기하지도 않았으면서 그 사람을 다 파악한 것처럼 얘기한다?"

그녀의 말이 맞았다. 태진은 남자와 대화를 1분도 지나지 않게 했고, 심지어 남자는 아무 말도 하지 않았다. 그저 태진의 생각으로 미루어 이야기한 것이었다.

"그럼 저는 여기하고 다용도실도 청소할 테니까 한 번 얘기해 보세요."

태진이 말을 하자마자 하영은 고개를 휙 돌리고는 남자에게로 천천히 걸어갔다. 그는 하영도 분명 실패할 것으로 생각해 안쪽의 다용도실을 청소하러 들어갔다. 생각보다 청소할 게 많은 걸 본 태진은 귀에 이어폰을 꽂고는 청소에 집중하기 시작했다.

시간이 꽤 지나고 태진은 이어폰을 빼고 깨끗해진 다용도실을 보았다. 태진만 보면 뭐라고 하는 하영이 칭찬을 할 것만 같았다. 태진은 수건으로 땀을 닦으면서 다용도실을 나왔다.

"선배님, 다용도실 보시면 깜짝 놀라실…"

태진은 뭔가 예상치 못한 상황을 본 것처럼 서 있었다. 마치 신화 속 메두사의 얼굴을 본 사람 같았다.

하영이 좋아하던 창가 자리에는 따뜻한 커피와 함께 검은 외투의 남자가 앉아있었다. 태진은 그와 같이 옆에 앉아있는 하영의 얼굴을 번갈아서 보기 시작했다.

"거기 서서 뭐 해? 이분 말 잘하시는데, 넌 뭘 하고 온 거냐?"

하영의 말이 끝나자마자 태진은 남자의 목소리를 처음으로 들을 수 있었다. 그의 목소리는 굵은 중저음의 목소리였고, 긴장한 탓인지 조금씩 흔들렸다.

"아니에요, 제가 얘기를 안 했습니다. 저한테 뭐라고 하셨는데 사람들 대화 소리에 잘 안 들려서 괜히 실수할까 아무 말도 안 했습니다."

마치 태진의 억울함을 풀려는 듯 떨리는 목소리로도 자세히 설명하기 위해 노력하는 모습이었다. 그의 이마에는 땀이 송골송골 맺혔고, 그의 얼굴을 보는 것만으로도 그가 불안하다는 생각이 들 정도였다.

"이리 오시지요. 서 있으면 다리 아프지 않나요?"

"맞아. 태진아, 넌 손님 앉혀놓고 뭐하니?"

하영이 농담 섞인 말투로 태진에게 말하자, 그는 서둘러 의자에 앉았다. 남자는 둘의 반응에 놀라며 자신 탓에 혼난다고 생각해 눈동자가 흔들렸다. 그 모습을 태진이 봤는지, 장난이라며 남자를 안심시켰다.

"아⋯. 그렇습니까? 전 또 저 때문에 그런 줄 알고."

남자의 말에 하영도 화들짝 놀라며 장난이었다고 변명을 서둘렀다. 그녀까지 이야기하자 남자는 조금 더 편한 표정으로 바뀌었다. 태진은 그제야 탁자 위에 있는 커피잔을 보았다. 새하얀 커피잔에 들어있는 김이 모락모락 나는 커피. 분명 그들의 카페에는 커피추출기가 없었다. 커피잔을 본 태진은 바로 하영에게 옆 카페에서 외상을 했느냐고 물었고, 하영은 3,000원이라는 외마디의 대답과 함께 손가락을 3개를 펼쳐서 태진에게 보여주었다.

그러자 태진이 한숨을 쉬며 커피추출기를 사자고 했지만, 하영은 단호하게 고개를 저으며 일이 많아지는 건 싫다고 카페 사장답지 않은 이상하게 변명했다. 이쯤 되니 누가 카페의 사장인지 분간이 되지 않았다.

"이분만 드셔도 되잖아요. 왜 선배님까지."

"참나, 누가 보면 네 돈 훔쳐서 먹는 도둑인 줄 알겠다. 내 돈이거든?"

남자는 둘의 대화를 유심히 들으며 둘의 사이를 파악하고 있었다. 그리고 둘의 대화 대부분이 말장난인 것을 깨달았을 때, 비로소 졸이고 있던 마음을 놓았다. 태진이 한발 물러나 주제를 바꾸기 위해 탁자를 둘러봤다. 커피잔의 커피는 이미 절반이나 없었고, 그가 왔을 때 마시는 모습을 본 적이 없으니 아마 온 지 꽤 많은 시간이 흐른 듯했다.

"그나저나 무슨 얘기를 하고 계셨어요? 커피를 반쯤 마신 걸 보니 오신 지 꽤 되신 것 같은데."

"아, 왜 이 공원에 매일 오시는지 여쭤봤어. 생각보다 깊은 사연이 있으시더라고."

"무슨 사연인지 여쭤봐도 될까요?"

태진은 남자에게 조심스럽게 물어보았다. 남자는 하영의 얼굴을 한 번 훑고는 이내 태진에게 시선을 옮겼다.

"저는 딸과 함께 살고 있었습니다. 아내는 뇌경색으로 딸이 다섯 살 때, 세상을 떠났습니다. 어린 딸은 엄마의 빈자리를 크게 느꼈고, 저는 그런 딸을 위해 뭐든지 하고 있었습니다. 딸이 하고 싶다는 것은 약속하고, 반드시 이루어 주겠다고 다짐했었습니다. 먹는 것도, 입는 것도, 딸의 소원이라면 무엇이든지 들어주었습니다. 그런데 한 가지 지킬 수 없는 약속이 있었습니다. 이 '봄의 정원'에 같이 오자는 것이었습니다."

남자는 목이 막히는 듯 커피를 한 모금 마시고는 다시 얘기를 이어갔다.

커피잔을 내려놓는 손을 미세하게 떨고 있었다. 태진은 이를 커피잔의 커피가 흔들리는 것을 보고 깨달았다.

"딸과 지켰던 약속을 위해 돈을 버느라 시간이 없었습니다. 그래서 집 근처 공원에 있는 벚나무를 같이 보며 나중에는 꼭 가리라 약속했었습니다. 딸은 어떤 일을 하던, 어디를 가던, 봄의 정원에 가는 것을 손꼽아 기다리고 있었습니다. 저는 그런 딸에게 이 약속은 꼭 지키겠다고 가슴에 새겼습니다. 그런데 왜 사고는 예상치 못할 때 일어나는지, 딸이 아침에 등교하다가 교통사고로 크게 다쳤다는 연락을 받고 바로 병원에 달려갔습니다. 딸의 온몸이 피투성이인데, 왜 이런 일이 벌어졌는지 화가 나고 무서웠습니다. 딸에게 제발 눈을 떠 달라고, 제발 축복이 있기를 기도했습니다. 하지만 10살 아이가 버티기에는 꽤 큰 충격이었는지 아니면 신께서 제 기도를 들어주지 않은 것인지 이틀 동안 숨만 겨우 쉬다가 별이 되었습니다."

태진은 남자의 말에 깊게 이입한 듯 금방이라도 울 것 같은 눈으로 남자를 애처롭게 바라보고 있었다. 그러다 이내 못 참고 남자에게 말을 걸었다.

"그래서, 봄의 정원에 매일 오시는 건가요?"

"딸이 죽고 나니 약속을 지키지 못한 저에게는 죄책감만 들기 시작했고, 왜 시간 탓을 하고서 이곳에 오지를 못했는지…."

남자는 말을 잇지 못하고 고개를 푹 숙였다. 하영은 그런 남자를 보고 태진에게 대신 말을 이어가기 시작했다.

"그래서 딸의 유골을 저기 벗나무에 몰래 묻었고 매일 찾아오시는 거래. 직장은 바로 그만두시고 집까지 이사 오셨고."

태진은 하영의 말에 눈물을 참지 못하고 책상 위에 있는 냅킨으로 눈가를 닦았다. 남자는 그런 태진을 바라보며 마지막 커피를 조용히 마셨다.

"영화 속 이야기 같아요. 그런 사연이 있으셨군요. 저는….'

태진은 어떻게든 말을 이어가려 했지만, 단어가 생각이 나지 않았다. 하영은 그런 그를 보고는 한숨을 쉬며 주머니에서 지갑을 꺼냈다.

"에휴, 옆집에 외상 갚으러 가야 하는데 그렇게 눈물 찔찔 흘리고 가면 내가 너 괴롭힌 줄 알 거 아니야. 이번만 내가 갈 테니까 눈물 닦고 기다리고 있어."

"같이 나갈까요? 나무에 할 얘기가 있어서."

남자는 하영이 일어서자 따라서 일어서며 커피잔을 들었다. 아마 옆 카페에 같이 갔다가 나무 옆에서 잠을 청할 것 같았다. 하영은 그런 남자에게 커피잔을 받아서 바로 나무로 가라는 듯 고갯짓을 했다. 남자는 둘에게 고개를 꾸벅이고는 주섬거리며 외투를 입고서 밖으로 나갔다. 하영은 밖으로 나간 것을 확인하고는 태진의 옆으로 다가가 살랑거리며 물었다.

"난 외상 갚고 바로 퇴근할 건데, 너도 지금 갈 거야?"

태진의 말을 듣지도 않고 하영은 대답도 듣지 않은 채로 가방을 챙기고 있었다. 그 모습에 태진도 서둘러 퇴근 준비를 했고, 다용도실에 들어가 가방을 챙겨 나왔다. 하지만 하영은 갈 준비를 하지 않고 다시 창가

자리에 앉아 밖을 바라봤다. 창밖에는 검은 외투의 남자가 나무에 기대어 잔뜩 움츠린 자세로 잠을 자려는 모습이 보였다.

"저러면 몸이 안 아프실까? 밤공기도 차가울 텐데."

"그러게요, 이 근처로 이사 오셨다면서요? 왜 거기로 안 가고."

"딸이랑 자고 싶은 거겠지. 딸 혼자 춥고 외로우니까."

둘은 남자의 애처로운 듯한 모습을 보며 아까의 사연이 계속 머릿속을 맴돌았다. 이사를 오는 것까지 했지만 미처 딸을 두고 가지 못하는 심정을 대체 누가 알고 위로할지 걱정하고 있었다.

"우리 이번 겨울에 쓰던 담요 가지고 있지 않아?"

"어…. 아직 다용도실에 있을 거예요."

태진의 말이 끝나자, 하영은 얼른 다용도실에 들어가 이곳저곳을 뒤적이기 시작했다. 뒤적거린 지 얼마 되지 않아서 구석에서 하영의 찾았다는 소리가 들렸고 곧 두꺼운 담요를 들고 밖으로 나왔다.

"자, 찾는 건 내가 했으니까, 덮어드리는 건 네가 해."

"알겠어요."

둘은 짐을 모두 챙기고 카페 밖을 나와 나무 옆의 남자에게 다가가 담요를 덮어드렸다. 그는 외투를 덮고 있었지만, 몸을 덮기에는 턱없이 부족해 보였다. 담요를 조심스럽게 덮어드리자, 몸은 익숙하지 않은 따뜻함에 놀랐는지 꿈틀거렸고, 이내 담요를 둘러맸다.

빛이 어두운 새벽에 물드니 남자는 어제와 똑같이 눈을 떴다. 하지만 그의 몸은 춥지 않았다. 두꺼운 담요가 그를 덮고 있었고 그는 담요를 꽉 잡고 자고 있었던 것 같았다. 소재를 모르는 담요였지만 분명 그들이 덮어줬을 것이라는 생각이 들었다. 그리고 나무에 속삭이듯 얘기했다.

"나무야, 네 옆에 계속 있을 수 있겠다."

그러고는 카페 앞으로 가서 문을 열어보았다. 아직 새벽이기에 카페의 문은 열리지 않았기에 문 앞에서 기다리기로 했다. 몇 시간이 지나고 태진이 카페로 천천히 다가왔다. 남자는 벌떡 일어나 그를 쳐다보았다. 태진은 카페 앞에 검은 물체가 갑자기 커졌기에 깜짝 놀랐지만, 검은 외투의 남자임을 파악하고 정신을 차렸다. 그는 왜 여기에 있는지 물었고, 남자는 곱게 접은 담요를 건네주며 감사하다고 이야기했다.

"아니에요, 가져가셔도 돼요. 어차피 겨울 담요라서 저희는 이제 필요 없어요."

"아닙니다. 빌린 물건은 반드시 드려야 하죠."

남자의 단호한 말투와 담요를 주기 위해 뻗은 팔을 보고 태진은 담요를 받아 들기는 했다. 하지만 하영에게 무슨 말로 이 상황을 설명해야 할지 난감했다.

"선배님은 그걸 왜 받았냐고 뭐라고 할 게 분명해. 뭐라고 둘러대야 하지?"

남자는 태진의 표정을 보고는 최대한 온화하게 웃음을 지으며 얘기했다.

"사장님께는 제가 설명하겠습니다. 안에서 기다려도 될까요?"

"일단 들어오세요. 그분은 늦잠이 취미여서 늦게 오실 거예요."

태진의 사소한 복수를 끝으로 카페의 문은 열리고 남자와 함께 안으로 들어갔다. 태진은 카페를 들어가자마자 청소할 준비를 하고 대걸레를 들고서 이리저리 움직였다. 분주한 태진을 보던 남자는 작은 목소리로 얘기했다.

"제가 도와드릴 수 있는 게 있을까요?"

"아니에요, 손님한테 뭘 시킬 수는 없죠. 편히 쉬고 계세요."

한 시간쯤이 흐르고 한 여자가 느긋하게 카페 문을 열고 들어왔다. 한 손에는 방금 샀는지 김이 나는 커피를 들고 있었다. 태진의 대걸레질은 멈췄고 하영은 그를 바라보았다.

"선배님 오셨어요?"

"너는 아침부터 청소야? 성실하기도 해…."

하영은 카페를 둘러보다가 귀신을 본 것처럼 깜짝 놀라 뒤로 넘어질 뻔했다.

"어, 여기에 왜…?"

"아, 제가 아침에 출근하는데 담요를 들고 계시길래 들어오라고 했어요."

"맞습니다. 담요가 있길래. 분명 여기 사장님께서 주신 것 같고…."

남자는 약간 쑥스러운 듯 작아지는 목소리로 하영에게 설명했다.

"가지셔도 돼요. 혹시 제 후배가 얘기하지 않았나요?"

하영의 말에 태진의 동공이 흔들렸고 그런 그를 남자가 보고는 재빠르게 말을 건넸다.

"아닙니다. 제가 꼭 사장님께 돌려드리고 싶다고 얘기했습니다."

하영은 탁자 위에 곱게 접혀있는 담요를 보고는 남자에게 다시 전해주었다. 그리고 하영의 주도로 세 사람은 창가 쪽 자리에 앉아 어제 못 나눈 얘기를 나누기로 했다. 시작은 하영이 끊었다.

"그래서 집은 왜 안 가시는 건가요?"

"아, 이사를 왔어도 집은 거리가 멀어서…."

"그래서 계속 나무 옆에서 주무실 건가요?"

"괜찮습니다. 일하면서 저기보다 더 안 좋은 데서 잔 적도 많아서."

"그래도 밤공기는 엄청 추울 텐데."

하영은 턱을 괴고는 남자를 스캔하듯이 위아래로 훑어보았다. 태진은 그런 그녀의 모습에 무언가 이상한 짓을 꾸미고 있다는 것을 단번에 알아차렸다.

"선배님, 혹시 뭘 하실 생각이세요?"

"태진아, 우리 둘이 조금 심심하지 않니?"

태진은 그녀의 말에 입술을 깨물더니 번뜩 두 눈을 크게 떴다. 아마 하영의 말에 숨겨진 속뜻을 알아챈 것 같았다.

"선배님, 안 그래도 손님도 없는데 직원을 늘린다고요?"

태진의 말에 남자도 덩달아 놀라며 하영을 바라보았다.

"얘는 갑자기 뭐라고 하는 거야? 그냥 떠본 거야. 이분이 싫다고 할 수도 있는데 뭘 벌써 정해진 것처럼 소란스럽니?"

분명 태진은 남자의 사연에 관해 얘기하고 있는 줄 알았는데 몇 마디 오가다가 갑자기 구직에 관한 얘기로 넘어가니 놀라지 않을 수가 없었다. 그것도 손님이 하나도 없는 카페에 직원을 늘린다니, 태진의 반응이 정상적인 반응일 테다. 하지만 하영은 벌써 남자에게 물어볼 준비를 하고 있었다.

"그러니까, 저희 '위로를 위해서'의 직원 한 번 해보시겠어요?"

"아…, 그게…."

남자의 반응은 당연했다. 공원을 노숙자처럼 돌아다니던 모르는 사람을 이야기 한 번 듣고는 갑자기 자기 카페의 직원이 되어 달라니. 세상에 그런 파격적인 제안은 없을 테다. 남자는 시선을 어디에 둘 줄 몰라 했고, 태진은 하영의 얼굴을 빤히 바라보았다. 그녀는 남자의 불안한 시선을 알고 있었기에 부담스럽지 않게 밖과 남자와 태진을 번갈아 보고 있었다.

남자는 순간적으로 방전된 것처럼 가만히 있다가 덜덜 떨리는 손을 탁자 밑으로 숨기고는 힘겹게 얘기했다. 밑으로 숨기기는 했지만, 그 떨림을 숨기기에는 모두가 봤을 정도로 이미 늦기도 했고 떨리는 손을 탁자 밑에 가까이 붙여서 그런지 탁자가 가끔 흔들렸다.

"아닙니다. 제가 괜히 사장님께 걱정을 끼친 것 같군요. 저는 괜찮습니다. 저기 공원에….."

남자는 어떻게든 거절하려고 했지만, 갑자기 감정이 벅차오르는지 말을 멈추고 고개를 푹 숙여버렸다. 하영은 그의 모습을 보다가 태진에게 속삭이듯 얘기했다.

"옆집에서 차 한 잔만. 캐모마일이 괜찮으려나?"

"이 정도면 그냥 커피추출기를 갖다 두죠?"

하영은 늘 그랬듯 그의 말을 무시하고 1,000원을 그의 손에 쑤셔 넣었다.

태진은 남자의 대답을 듣고 싶었지만, 하영의 눈빛에 얼른 밖으로 달려나갔다.

태진은 따뜻한 차를 조심스럽게 카페로 들고 왔다. 얼른 차를 남자에게 대접하려 책상에 내려놓았다. 하지만 태진의 눈에 들어오는 것은 하영, 그녀 혼자였다.

"어? 그분은요?"

"그게, 조금 더 생각해 본다고 하셨어. 하긴 내가 생각해도 너무 갑작스럽긴 했어. 조금 차근하게 해볼걸."

"그러면 이 차는 어떡해요?"

태진은 따뜻한 차가 든 컵을 하영에게 보여주었는데, 하영이 자신이 마실 거라며 달라고 말했다. 그녀의 말에 태진은 당황스러워하며 남자에게 줄 차가 아니었냐고 물었지만, 하영은 당연하다는 듯 자신이 마실 차여서 뭐가 좋겠냐고 묻지 않았냐고 설명했다.

태진은 하영이 차를 홀짝 마시자, 창문을 통해 밖을 보았고 벚나무 쪽에 검은 물체 하나가 움직이는 것이 눈에 띄었다. 그 남자였다.

"그래서 내가 직원이 되기 싫다면 손님으로 남아달라고 얘기했어. 언제든지 오셔도 된다고 했고."

"이제 뭘 할까요?"

"뭐, 경치 구경하다 가는 거지."

태진은 하영과 남자의 대화가 궁금했지만, 남자가 언젠가는 다시 올 것 같아 그때 물어보기로 했다. 그리고 다용도실에 들어가 컴퓨터로 커피추출기의 가격을 찾아보았다. 하영은 그 모습을 보더니 피식 웃으며 말했다.

"넌 그렇게 커피추출기가 사고 싶어? 그러면 네 일이 더 느는데도?"

"그렇다고 계속 옆집에 갔다 올 수는 없잖아요. 이젠 준비가 되어 있어야죠."

하영은 고개를 끄덕이고는 손가락으로 화면을 가리켰다.

"나는 저게 맘에 드네."

2

두 번째 위로,
만약 그랬다면

제 모든 걸 주고 싶었던 딸이 떠나고
저에게 남은 것은 죄책감뿐이었습니다.
'그때 해줬더라면.'
저의 가슴 속에 아직도 묻혀 있는 죄책감입니다.
시간 탓하기 전에 해줬었다면, 만약 그랬다면.

위로를 위해서

태진은 아침부터 분주했다. 갑자기 손님이 늘어났기 때문이었다.

"여기 정말 마음대로 해도 되는 건가요?"

카페를 찾아오는 이들의 공통된 질문이었다. 아마 새로 단 간판을 보고 찾아오는 것 같았다. 그리고 이 주변의 카페는 사람이 많으니 편히 앉아서 쉴 수도 없는데 이곳은 텅텅 비었기에 그들의 눈에 띈 것도 한몫했다.

"네, 이곳은 마음대로 해도 됩니다. 정해진 것은 딱히 없습니다."

태진은 분주하게 커피를 내리고 잔을 닦고 청소를 했다. 그리고 얼마 지나지 않아 하영이 문을 열고 들어왔다.

"그러니까 커피추출기 괜히 샀지? 이럴 줄 알았어."

"그래도 이제 사람이 많아지니까 좋잖아요."

"경치 구경을 못 하잖아."

"경치 구경만 할 거면 개업을 왜 하신 거예요?"

태진이 묻고 싶었던 근본적인 질문이었다. 하영의 행동과 말은 계속해서 태진에게 커다란 궁금증을 만들고 있었다. 이렇게 손님이 많은 것을 싫어할 것이면 개업하지 않고 그냥 매일 봄의 정원에 오는 것이 더 나은 방법이 아닌지 떠올렸다.

"안녕하세요."

하영과 태진이 얘기를 하던 가운데 문이 열리며 익숙한 목소리가 들렸다. 바로 검은 외투의 남자였다.

"어, 오셨네요."

"커피가 마시고 싶어서요. 두 분과도 얘기하고 싶기도 하고."

하지만 카페의 손님들은 그를 반기지 않는 것 같았다. 그가 들어옴과 동시에 수다스러웠던 손님들은 일제히 조용해졌다. 그리고 서로 수군거리며 남자를 흘겨봤다.

"맞지? 저 사람이지?"

"그러니까, 사진 좀 찍어달라니까 막 인상을 쓰고 말이야."

"노숙자 아니었어?"

그들은 작은 목소리로 수군댔지만, 워낙 갑자기 조용해진 탓에 대화 소리가 전부 들릴 정도였다. 남자는 그런 분위기에 몸 둘 바를 모르다가 다시 나가려고 몸을 돌렸다. 그때, 하영이 손님들을 골고루 쳐다보며 얘기했다.

"여러분, 저희 문 닫겠습니다. 죄송하지만 일어나주세요."

"선배님, 그게 무슨…."

당연하게도 손님들은 어이없다는 듯이 하영에게 소리쳤다. 태진은 손님들에게 진정하라는 듯 손을 이리저리 흔들었다.

"아니, 갑자기 나가라니 이게 무슨 심보야?"

"젊은 청년이 장사할 줄 모르네! 이러면 신고할 거야!"

하영이 이마를 짚더니 한숨을 쉬었다.

"마음대로 하셔도 된다고 했지, 저희 손님을 욕하는 것을 허락한 적은 없습니다. 저희의 카페 이름을 아시다시피 위로를 위해서 오시는 곳인데 다른 사람에게 위로는커녕 상처만 주는 사람들에게 친절은 필요 없다고 생각합니다. 그러니까 당장 나가주세요."

태진은 처음 보는 하영의 모습에 할 말을 잃었다. 매번 장난스러운 말과 느긋한 표정으로 일관하던 그녀가 이런 말도 할 수 있는지는 처음 알았다. 남자 또한 으레 친절하던 하영의 반전 모습에 가만히 서 있을 뿐이었다. 아니, 그 분위기에 압도당한 것 같았다.

"이런 말로 손님께 상처 주실 거면 다시는 저희 카페에 오지 마세요."

하영의 마지막 한 마디에 손님들은 마시던 커피잔을 내려놓고 짐을 챙겨 나가기 시작했다. 하지만 한 명도 조용히 나가는 사람이 없었다. 누군가는 욕을 했고, 누군가는 침을 뱉었으며, 누군가는 문을 발로 차기도 했다. 모두가 나가자, 하영은 이마를 손으로 짚으며 다용도실에 들어가며 태진에게 말을 걸었다.

"나 잠깐 쉴 테니까, 카페 문 닫고 남자분께 커피 한 잔 드리고 얘기 좀 해줘. 조금 쉬었다가 나도 대화에 낄 테니까."

태진은 너무나도 당황스러웠다. 손님도 많아서 좋았는데 한순간에 손님에게 화를 내는 카페가 되었다. 다시는 개미 한 마리도 보이지 않을 것이 뻔했다. 남자도 적잖이 당황했는지 나무 기둥처럼 우뚝 서 있었다.

"아, 저 때문인가요?"

"아니에요. 이번엔 저분들이 심했어요. 커피 드릴까요?"

태진은 질문의 대답이 들리지 않았지만, 커피를 내리고 있었다. 남자는 아무 말 않고 창가 쪽 자리로 다가갔다. 태진은 다용도실을 힐끗 봤지만, 하영은 아무 소리도 내지 않았다. 그는 방금 내린 따뜻한 커피 한 잔을 들고 남자의 반대편에 앉고는 대화를 시작했다.

"방금은 많이 당황하셨죠? 죄송해요. 선배님이 원래 그러시질 않는데, 오늘 무슨 일이 있으셨는지⋯."

"아닙니다. 제 업보죠. 사람들이 많이 부탁했었습니다. 다들 사진 찍기 바쁘니 돌아다니는 저에게 말을 건 겁니다. 하지만 그들에게 다가가기 쉽지 않았습니다. 제가 망칠까 걱정도 됐고, 너무 무서웠습니다."

남자는 담담하게 자신의 과거를 털어내기 시작했다. 태진은 그의 말에 귀 기울여 들어주고 있었다.

"제 모든 걸 주고 싶었던 딸이 떠나고 저에게 남은 것은 죄책감뿐이었습니다. '그때 해줬더라면' 저의 가슴 속에 아직도 묻혀 있는 죄책감입니다. 시간 탓하기 전에 해줬었다면, 만약 그랬다면, 계속 밤마다 나무 옆에서 자는 것도 그 이유입니다. 많이 걱정해 주셔서 감사합니다. 저 때문에 괜히 손님들을 내쫓고 장사를 망친 것 같네요."

남자는 사연을 풀다가 다시 자기 잘못을 얘기하며 고개를 숙였다. 태진은 그런 남자에게 연신 괜찮다고 했지만, 그는 모든 게 자신의 탓이라고 생각하는지 고개를 들지 못했다.

"괜찮아요. 저희는 그런 손님 필요 없어요."

하영이 갑자기 가벼운 외투를 입고서 둘의 사이를 끼어들었다. 그녀는 아무렇지 않은 듯 멀쩡했다. 태진은 그녀가 걱정되어 괜찮냐고 물었지만, 그녀는 괜찮다고 대답했다.

"아까 많이 힘들어 보이시던데…."

"이제 다시 경치 구경할 수 있잖아. 그리고 그런 사람들 돈을 내 지갑에 넣을 생각은 없어. 너도 잘 새겨 둬. 또 그런 사람 오면 내쫓아버려. 내가 뭐라고 했어. 직원도 마음대로 하는 곳이라고."

하영의 말에 남자는 조금씩 고개를 들기 시작했다. 그리고 머뭇거리며 말했다.

"사장님 얘기하시는 게 제 맘에 쏙 드네요. 감사합니다. 갑자기 두 분 얼굴이 생각나서 왔는데 이런 일이 벌어질 줄은 몰랐습니다."

"괜찮아요. 매일 오셔도 돼요. 그때마다 저런 분들이 있다면 제가 내쫓을 게요."

태진은 남자에게 안심하라는 듯이 나긋하게 얘기했고, 하영에게 물었다.

"근데 외투는 왜 입었어요?"

"아, 나무에 한 번 가보려고. 우리도 인사 한번 해야지."

남자는 하영의 말에 살짝 미소를 터트렸다.

"마음씨도 고운 분이시네요. 정말로 감사합니다."

"저녁쯤에 사람들 없으면 가보자. 그동안 얘기 좀 하고, 그래서 생각하셨나요? 직원 말이에요."

"아, 직원…."

남자는 하영의 말에 살짝 감긴 눈으로 고민하고 있다는 것을 표현했다. 그러다가 눈을 번쩍 뜨고는 커피를 마셨다.

"해보겠습니다. 두 분 사이에서 사람 대하는 것도 배우고, 커피도 배우고 싶습니다. 괜찮겠습니까?"

"아, 사람 대하는 거라면 여기 남자애한테 배우세요. 저한테 배우면 아까 그 꼴 날지도 몰라요. 저도 얘한테 배우는 중이라서."

하영의 말에 태진은 손사래를 쳤다. 하지만 그도 하영에게 그런 걸 배우면 안 된다는 것을 알고 있었기에 남자에게 차분하게 얘기했다.

"아, 제가 도와드리겠습니다. 맞다. 혹시 성함이?"

생각해 보니 이들은 서로의 이름도 모른 채 직원을 뽑고 있었다. 하영은 급하게 태진과 자신을 소개했다.

"저는 주학입니다. 김주학. 편하게 아저씨라고 불러주셔도 괜찮습니다."

"아, 저는 사장님이라고 해주세요. 얘는 '야'라고 불러도 되고요."

"선배님, 그래도 '야'는 좀…."

"우리 애가 왜 그럴까?"

둘의 말장난이 다시 시작되자 주학은 걱정이 한가지 풀린 듯 웃음을 터트렸다.

"남자분은 '태진 씨'라고 하겠습니다. 그리고 다행입니다. 두 분을 만나서 제 이야기를 할 수 있어서 정말로 다행입니다."

주학의 감격스러운 눈물이 섞인 말로 카페는 다시 영업 준비를 했다. 하영은 늘 그랬듯 창가 쪽 자리에 앉아 창문으로 밖을 보았고 태진은 커피추출기 청소를 했다. 남자는 잠시 밖에 나가 나무에 얘기하고 있었다.

"나무야, 너도 여기 와서 두 분을 봤으면 좋았을 텐데. 너무 좋으신 분들이셔. 나중에 커피 한 잔 마시러 와줬으면 좋겠다. 아빠가 저분들한테 방해가 되는 건 아닌가 싶어. 너는 어떻게 생각해?"

나무는 바람에 흔들리는지 아니면 주학의 말에 고개를 끄덕이는지 이리저리 흔들렸다. 주학은 나무 옆을 몇 번 토닥이고는 카페로 들어갔다. 카페를 들어가자, 하영이 붉은색의 앞치마를 번쩍 들고 이곳저곳을 보고 있었다.

"아, 오셨네요. 이게 전에 쓰던 앞치마인데 크기가 맞을까요? 일단은 이거라도 하다가 저희가 쓰고 있는 앞치마랑 똑같은 거로 주문할게요."

"괜찮습니다. 특색있고 좋네요."

앞치마는 조금 작았지만 남자는 손사래를 치며 괜찮다고 했다. 이어 하영은 역할 분담을 하자며 창가 자리로 모두를 불렀다.

"직원이 한 명 늘었으니까, 역할 분담을 하자. 일단은 나는 사장이고, 태진이는 바리스타. 그리고 아저씨는 뭐가 좋을까요?"

막상 직원으로 뽑기는 했지만, 확실히 카페의 규모에 비해 3명의 직원은 넘치는 인원이었다. 거기에 하영의 분노로 손님까지 줄었으니 어쩔 수가 없었다. 그 상황은 곧 정적을 만들었고 정적은 꽤 길게 유지됐다.

"그럼 저는 이야기를 듣겠습니다."

"이야기를 듣는다고요? 어떤 이야기 말이죠?"

"저번부터 두 분께서 제 이야기를 들어주셨습니다. 보잘것없는 제 이야기를 들어주겠다고 하신 분은 두 분이 유일했습니다. 제 안에 꼭꼭 숨겨놓았던 이야기를 푸니 제 마음의 짐이 덜어지는 기분이 들었습니다. 해답을 내놓지는 않았지만, 그저 들어주는 것. 그게 제 마음의 약이 될 줄은 몰랐습니다."

그의 말에 하영은 중간마다 고개를 끄덕이며 얘기를 들어주었다. 그리고 맞장구를 치며 대답했다.

"맞아요. 저도 많은 일을 겪으며 위로를 받고 싶을 때가 많았어요. 그런데 그 얘기를 할 때마다 다들 해결책을 내놓더라고요. 과정에서 수많은 상처를 입었는데 결과에 대한 해답을 꺼낸들 어떻게 해결하겠어요. 그래서 이 카페를 차린 거예요. 봄의 정원에는 사진을 찍기 위한 사람들이 많지만 가끔은 위로받고 싶은 분들도 오세요. 아저씨처럼 말이죠. 저희는 그들을 환영하는 거예요."

"감사합니다. 제 딸도 두 분께 고마워하고 있을 거예요."

"그러면 역할은 전부 정해진 거죠?"

주학은 이야기를 들어주는 역할과 함께 카페 청소까지 도맡아 하기로 했다. 태진이 청소 담당이었지만 혹시라도 모를 상황에 나눈 역할이었다. 셋은 커피를 마시며 오늘의 일에 관해 얘기하며 시간을 보냈다. 다시 어둠이 찾아온 봄의 정원에 외투를 입은 셋이 한 벚나무 옆에 섰다.

"나무야 아니, 주은아. 아빠가 얘기한 분들이야. 다들 네가 보고 싶다고 해서 오셨어."

"이름이 주은이구나. 예쁘다. 아빠는 걱정하지 말고 쉬어. 일을 엄청 잘하시니까. 청소도 여기 남자애보다 잘하시고 곧 남자애를 밀어내고 커피까지 만드실 것 같아. 그러니까 걱정하지 마. 언니가 종종 찾아와서 얘기해 줄게."

"주은아, 나는 카페에서 바리스타를 맡은 태진이라고 해. 그냥 오빠라고 불러도 돼. 너희 아빠한테 얘기 들었어. 언니 말대로 오빠는 옆 카페 취직하게 생겼어. 그러니까 언니가 여기에 오면 오빠 대신에 나뭇가지로 머리 한 대 때려줘."

"야, 애한테 그런 말 하기야?"

"그러는 선배님은요?"

둘의 투덕거리는 말에 남자가 웃음을 지으며 말을 마무리 지었다.

"어때? 두 분 말이야. 재밌지? 만약에, 우리 주은이 손잡고 여기에 왔다면 못 만났을 텐데. 주은이가 아빠한테 이 두 분을 연결해 줬어. 고마워. 주은이 덕분이야."

주학은 눈물을 소매로 훔치며 잠시 이마를 나무에 맞댔다. 둘은 그를 보며 고개를 숙였다. 그렇게 다사다난한 하루가 또 지나가고 그의 마음의 짐은 하나 더 덜어지는 중이었다.

"역시 아저씨, 카페를 열어 놓으셨네."

주학이 카페의 직원이 된 후로 카페는 더 일찍 열렸다. 꼭두새벽부터 불이 켜진 카페는 '위로를 위해서'가 유일했다. 태진이 출근을 할 때면 불이 켜진 것은 물론 원두의 고소한 향기가 나고 있었다.

"안녕하세요."

"아, 태진 씨 오셨군요. 오늘도 사장님은 늦게 오시는 건가요?"

"뭐, 이젠 익숙해지시면 돼요. 어차피 선배님이 오시기 전에는 선배님 찾는 손님이나 전화는 안 오니까요. 그냥 저희끼리 쉬고 있으면 돼요. 아침 커피 어떠세요?"

태진은 오자마자 추출기의 상태를 확인하고 커피를 내렸다. 아침부터 잠을 깨우는 커피의 향이 카페를 감싸고 있었다.

"저는 차가 마시고 싶네요."

"페퍼민트 어떠실까요?"

"괜찮을 것 같네요. 따뜻하게 부탁드립니다."

주학은 카페의 일에 살짝 익숙해지기 시작했다. 손님이 없으니, 소꿉놀이하는 것처럼 느껴질 때도 있었다. 손님으로 있던 카페와 직원으로 있는 카페는 분위기가 사뭇 다르다는 것을 깨달았으며 카페가 잘 운영되고 있다는 것에 자부심을 느꼈다.

"아침부터 두 분 다 열심히 하시네요."

"어? 웬일로 일찍 나오셨어요?"

태진의 앞에는 머리를 아직 덜 말린 하영이 서 있었다. 방금 감고 나왔는지 샴푸 향이 가시지 않았다.

"뭐, 이제는 나도 달라지려고. 아저씨께 배우기도 했고 말이야."

"선배님이 달라진다고요? 아침부터 그런 농담은 재미없는 거 알죠?"

하영은 순식간에 태진의 앞으로 가 머리를 한 대 쥐어박았다. 세지는 않았지만 그렇다고 약하지도 않았다.

"얘는 아침부터 매를 벌어요. 내가 양치기 소년인 줄 알아? 정말로 달라질 거라고."

"허허, 제가 뭐라고 저한테 배우신다는 지. 괜찮습니다. 늦게 오셔도 됩니다."

주학의 말에 그녀는 머리를 다듬으며 다용도실로 들어갔다. 시간이 조금 지나고 비닐에 싸인 주황색 앞치마를 가지고 나왔다.

"드디어 왔어요. 이제 아저씨도 저희랑 같은 앞치마네요."

주학은 앞치마를 받아 들고는 보물 지도를 찾은 것처럼 여기저기를 훑어보았다. 마치 평생을 찾아다니던 보물의 위치가 그려진 보물 지도 같았다. 비닐을 얼른 뜯어 입어보고는 다시 앞치마의 모든 부분을 살펴보았다.

"열심히 일하겠습니다. 사장님."

그는 말을 더 길게 하고 싶었지만, 말이 더는 나오지 않았다. 울고 싶었지만, 그들에게 몇 번이고 우는 모습을 보여주었기에 참는 것처럼 보였다.

"괜찮아요. 조금 쉬었다 오실래요?"

하영의 제안에 그는 앞치마를 벗고서 탁자에 내려놓으려 하다가 얼른 품 안에 들고서는 밖으로 나갔다. 하영이 밖을 바라보자 역시 나무 옆에 기대고 있었다.

"그래, 이게 위로지. 일상 속의 위로."

태진은 하영의 행동이 이해되기 시작했다. 그녀는 정말로 주학을 직원으로 뽑을 생각이 아니었다. 주학이 만약 손님으로 유지된다면 이곳으로 오는 횟수는 줄어들기 마련이고 위로해 줄 기회가 별로 없다는 뜻이었다. 그래서 여기에 붙어 있도록 손님이 없음에도 불구하고 직원으로 뽑은 것이었다. 그제야 하영의 눈빛이 다르게 보였다.

"선배님, 이제 뭘 할까요."
"글쎄, 넌 뭐 하고 싶은데?"
둘은 깊은 생각에 빠졌다. 이제 손님은 안 올 테고, 그렇다고 일을 안 할 수도 없는 노릇이었다. 하영은 여기까지는 예상했지만, 다음에 펼쳐질 상황은 예상하지 못한 것처럼 한참 머리를 긁적였다.

"안녕하세요."

처음 듣는 목소리의 인사말이 카페의 정적을 깨며 들려왔다. 둘은 그 목소리의 출처를 바라보았고, 그곳에는 한 청년이 있었다. 정장을 빼입은 것이 마치 근처에 출근하려는 직장인 같았다. 아니면 카페에 물건을 팔려고 온 영업 사원일 수도 있었다. 일단은 태진이 가볍게 인사를 맞받아쳤다.

"아, 안녕하세요."
"커피 한 잔 주세요. 다른 곳은 사람들이 많으니 영 시끄러워서 커피 한 잔도 못 마실 것 같네요."
청년의 말만 들어서는 그냥 평범한 손님이었다. 하지만 그의 표정은 무언가 숨기는 게 있는 것처럼 가만히 있지를 못했다. 태진이 그를 보더니 하영에게 살짝 얘기했다.

"선배님, 조사하러 오신 분 아닐까요? 저번에 선배님이 손님들 내쫓으실 때 신고한다고 하신 분이 있었잖아요."

"우리 카페에 대단한 게 뭐가 있다고 정체를 숨기고 오겠냐? 표정을 보아하니 일이 잘 안 풀리셨나?"

그녀도 청년의 사연에 살짝 궁금증을 가졌다. 봄의 정원에 온 사람치고는 우울해 보였다. 태진은 그런 청년에게 얼른 다가갔다.

"저기에 앉으세요. 무슨 커피로 드릴까요?"

"최대한 달게요. 시럽도 설탕도 넣어주세요."

청년은 주문을 끝내고 주머니에서 스마트폰을 꺼내서 계속 화면을 어루만졌다. 밖에서 돌아오는 주학이 들어오는데 청년은 그를 살짝 올려다 보았다. 주황색 앞치마를 보고는 안도의 한숨을 내쉬고 다시 화면을 쳐다보고 있었다.

"여기 커피 나왔어요. 제가 생각하기에는 엄청 달다고 느끼는데 부족하시다면 얘기해주세요."

"감사합니다."

청년은 금방 나온 커피를 입가에 가져가다가 뜨거움을 느꼈는지 다시 탁자 위에 내려놓았다. 주학은 그를 유심히 보다가 다가가려고 했지만, 하영이 그의 앞치마를 붙잡았다.

"기다려 주세요. 혹시 몰라요."

청년은 깊은 한숨을 연거푸 내쉬었다. 커피에 걱정 근심을 한가득 넣는 것 같았다. 한숨이 끝나고는 작은 목소리로 중얼거렸다.

"하, 왜 이렇게 안 될까. 내가 뭘 잘못했다고. 대체 왜 이러고 있어야 하는 거냐고."

너무 작은 소리로 중얼거리기에 잘 들리지는 않았지만, 신세 한탄에 관한 내용인 게 틀림없었다.

"이제는 위로해 줘야 하지 않을까요?"

주학의 물음에 하영은 고개를 저으며 말렸다.

"바로 위로한다고 다 낫는 건 아니에요. 그러면 사람들이 왜 돌이키지 못할 선택을 하겠어요."

"그래도…."

주학은 어떻게든 위로를 해주고 싶었다. 그의 두 눈에는 피로가 묻어 있었기에 자신의 짐을 덜었던 것처럼 그의 짐도 덜어주고 싶었다.

"태진아, 음악 좀 바꿔줘. 조금 잔잔한 음악으로."

"네."

태진은 그녀의 말에 클래식 음악에서 피아노곡으로 바꿨다. 그리고 청년의 반응을 보았다. 청년은 가만히 커피를 바라보다가 재빠르게 커피를 들이켰다. 벌써 뜨거운 온도가 내려가지는 않았겠지만, 청년은 그런 것 따위는 신경 쓸 겨를이 없어 보였다.

"감사합니다. 잘 마셨습니다."

청년은 짧은 말과 함께 카페를 나섰다. 천천히 걸어가다가 인파 속으로 사라졌다. 태진과 주학은 청년에게 위로할 기회가 있었는데 왜 막았는지 하영에게 물어보았다. 하영은 천천히 창가 자리에 앉으며 얘기했다.

"위로가 잘못 전해지면 부르는 말이 뭔지 알아? 뜻이 잘못 전해지면 '오지랖'이라고 얘기해. 왜 괜히 오지랖 부리냐고, 남의 일에 신경 쓰지

말라고 말이야. 그런데 어떤 사연인지도 모르는 사람에게 냅다 위로한다
고?"

"하지만 아저씨께는 바로 위로를 전했잖아요."

"아저씨는 자신의 이야기를 들어 줄 사람을 찾는 것처럼 보였으니까."

주학은 그녀의 말에 살짝 움찔거렸다. 태진은 아무 말도 못 하고 하영을
바라보았다.

"여기는 위로의 말을 전하는 카페가 아니야. 위로되는 공간이고, 우리는
그 공간을 지키는 사람이지."

본질을 꿰뚫는 말이었다. 우리는 돈을 받고 위로를 한마디 해주고
끝나는 카페가 아니었다. 카페 이름 그대로 위로를 위해서 있는 곳이었다.
커피 한 잔으로 위로되는 이도 있을 테고, 그저 사람과 얘기하며 위로되는
이도 있을 테다.

"이제야 깨달았니? 내가 왜 여기에 손님이 많지 않길 바라는지. 여기에
손님이 많으면 여타 카페랑 다를 게 없어. 그냥 커피 팔고 그날 하루
매출 만지작거리며 문 닫고, 그러면 나도 편하고 좋지. 사람은 보통 돈이면
위로가 되니까. 그런데 그렇지 않은 사람들이 많으니까 그래. 특히 요즘에
는 더 그렇지."

태진은 그녀의 말에 지금껏 자신이 카페를 잘못 생각하고 있다는 것을
깨달았다. 카페 이름을 그렇게 달달 외우고 다녔지만 정작 그 뜻을 잊고
있었다. 주학은 그녀의 말을 경청하듯 고개를 연신 끄덕이고는 태진의
등을 토닥였다.

"사람들이 힘들어하는 이유는 각자가 다 달라. 누구는 사람을 잃었고,
누구는 실패를 맛봤어. 누구는 일이 꼬였고, 누구는 아픔을 느꼈지. 그런데

그런 사람들을 전부 모아서 괜찮을 거라고 한다면 그게 위로가 되겠어?"

하영은 천천히, 하지만 살짝 빠르게 말을 이었다. 가끔은 태진의 얼굴도 보고, 아저씨도 보았다.

"아, 미안해요. 직원들 세워놓고 내 얘기만 했네. 앉아도 돼요. 태진아, 나 차 한 잔만."

하영은 말을 계속하다가 이내 정신을 차린 듯 다시 느긋한 표정으로 돌아왔다. 주학은 이런 하영이 낯설기라도 한 듯 쉬이 앉질 못했다.

"죄송해요. 그런 줄도 모르고."

"아니에요. 아저씨나 태진이의 잘못이 아니에요. 제가 혹시 누구를 혼내려는 것처럼 얘기했나요? 정말로 죄송해요."

태진이 차를 건네주자, 차의 향기를 맡고는 탁자 위에 놓았다. 태진은 그녀의 옆에 앉았고, 그를 보자 주학도 맞은편에 앉았다.

"맞아요. 위로라는 게 그리 쉽지는 않죠. 그런 생각을 하는 젊은 사장님을 보니 점점 배울 게 많아지는 것 같아요."

하영이 그의 말을 듣고는 웃음을 터트렸다.

"우리 진지하게 굴지 말아요. 방금은 제 실수예요. 저번 일처럼 얘기하고 잊어버려요."

하영의 웃음과 말에 태진이 같이 웃기 시작했다. 원래의 하영으로 돌아온 것 같았다. 주학도 그들의 웃음을 듣고는 굳었던 얼굴을 풀었다. 살짝 미소를 짓는 것이 어색하게 느껴졌지만, 분명 행복한 미소였다.

"선배님은 사람 마음을 움직이게 하는 것 같아요. 언제는 심드렁하고 계시는 게 사람들에게 관심이 없는 것처럼 계시더니, 언제는 또 사람들에 관심이 많으실 때도 있고, 그때마다 저도 많은 걸 배우고 있어요."

"너도 참, 그럼 가만히 있지 말고 아저씨 드실 커피나 가져와. 너도 마실 거면 네 것도 가져오고."

"아, 저는 괜찮습니다. 아까 물을 많이 마셔서…."

"저도 괜찮아요. 커피를 계속 마셔도 몸에 안 좋으니."

"그래? 괜히 나 때문에 못 마시는 건 아니고?"

하영은 둘의 태도에 미안함을 느꼈지만 둘이 자신을 상대로 거짓말을 하고 있다는 것을 믿지 않았기에 더는 얘기하지 않았다.

"그나저나 저분 또 오실까요?"

태진은 궁금한 부분을 하영에게 물었다. 하영도 고개를 살짝 기울이고는 깊은숨을 내쉬었다.

"맘에 들었으면 또 오시겠지. 맘에 안 들었으면 다시는 안 오실 거고. 저분은 내가 확답을 못 하겠다. 나는 예언가가 아니니까."

"제 생각엔 오실 것 같습니다. 언제라고 얘기는 못 하지만 반드시 오실 겁니다."

주학의 말에는 확신이 들어있었다. 마치 그들 몰래 청년과 반드시 올 것을 약속한 사람 같았다.

"왜 그렇게 생각하세요?"

"위로가 필요한 자는 위로가 필요한 자를 알 수 있습니다. 사장님께서 저를 알아보신 것처럼 말이죠."

태진은 그의 말이 이해되지 않았다. 하지만 고개를 끄덕이며 주학의 얼굴을 바라보았다.

"크, 내가 안목은 있다니까. 직원 잘 됐다. 태진이도 그렇고 아저씨도 그렇고. 나보다 더 직원 운이 좋은 사장은 없을 거야."

하영은 자신의 선택에 자화자찬하듯 연신 감탄했다. 한참을 웃던 그녀는 다시 벚꽃잎이 떨어지는 바깥을 바라보았다. 그녀의 시선을 따라서 둘도 바깥을 보았다. 마치 분홍색 비가 내리는 것 같았다.

"이제 얼마 안 남았네요. 봄도 끝을 향해 달려가고, 날씨도 슬슬 따뜻해지는 것 같아요."

태진은 감성에 젖어 봄이 끝나간다는 사실을 얘기했다. 최근엔 봄의 정원을 찾는 손님도 살짝 줄어든 것 같았다. 주학이 사라졌을 때의 인파와 청년이 사라진 지금의 인파는 확실히 차이가 있었다.

"봄의 정원을 볼 때면 봄이 계속 있으면 좋겠다고 생각해. 봄의 정원은 다른 계절에는 그냥 공원이라고 불리잖아. 그래도 요즘엔 카페 사장님들이 계절 꽃을 심고는 있는데 그래도 봄의 벚나무하고는 비교가 안 되지."

그때, 주학이 들어서며 둘에게 얘기했다.

"저기서 공연하는 것 같은데, 구경 가실래요?"

"그럼 여기서 카페 지킬 사람 있어요? 손님도 계시고."

"내가 여기 있을 거니까. 갔다 와. 너도 좀 쉬어야지."

하영은 태진을 토닥이고는 자신의 앞치마를 꽉 조였다.

"아니에요. 선배님이 구경 가세요. 제가 보고 있을게요."

"사장의 말을 거역하는 거야? 얼른 맘 바뀌기 전에 갔다 와. 오늘 걸그룹이 온다고 들은 것 같은데. 나는 그런 거 잘 모르니까."

태진은 걸그룹이라는 말에 눈을 반짝였다. 그리고는 주학과 함께 밖으로 나갔다. 하영은 그를 보고만 있었다.

"아직도 애라니까. 나만 쉴 수는 없지. 너도 쉬어야지."

하영은 그저 창밖으로 사람들을 보고만 있었다. 태진의 모습은 보이지 않았지만, 많이 즐기고 있는 것이 확실했다. 조금 있다가 노랫소리가 들리기 시작했다. 하영은 그렇게 조용한 오후를 느꼈다. 분명 밖은 시끄러웠지만, 생각에 잠기니 아무것도 안 들렸고, 그 깊은 사색에 빠져들고 있었다.

"선배님, 뭐 하고 계세요?"

시간이 얼마나 지났는지 머리가 땀으로 젖은 태진이 차를 한 잔 마시고 있던 하영에게 말을 걸었다.

"넌 좀 쉬고 오라니까 뭘 하고 온 거야? 머리가 땀에 젖을 정도로 말이야."

"아, 그게, 쉬고 싶었는데 제가 제일 좋아하는 걸그룹이 딱 나오잖아요. 어떻게 가만히 있겠어요."

"태진 씨가 이렇게 신나는 모습 처음 봤어요. 조용한 사람인 줄 알았는데, 노래도 잘 부르고, 물 만난 물고기였어요."

주학이 상황을 설명하려 했지만, 하영은 귀에 잘 안 들어왔다.

"그래, 잘 쉬었으면 됐지."

"그런데 웬 과일 차에요? 선배님은 과일 차 안 마시잖아요."

태진은 하영의 앞에 놓여 있는 과일 차가 궁금했다. 하영에게 과일 차는 유일하게 마시지 않는 메뉴로 알고 있었기 때문이었다.

"뭐, 사람의 마음이 바뀔 수도 있는 거지. 그나저나 땀 좀 닦아."

그저 신나 보이는 태진의 얼굴을 보니 상황이 어땠는지 궁금하지 않을 정도였다.

그렇게 저녁이 가까워지고 남자는 다시 두꺼운 외투를 꺼내 입고 밖으로 나갈 채비를 하고 있었다.

"오늘도 수고하셨습니다."

"네, 아저씨도 수고하셨어요. 덕분에 카페가 깨끗해요."

하영은 주학에게 고개를 숙여 인사를 했다.

"그런데 혹시 계속 나무 옆에서 주무실 건가요?"

"네, 비가 오는 날만 아니면, 나무 옆이 좋습니다."

태진은 그런 주학을 계속해서 걱정하고 있는 것 같았다. 하영은 그런 태진을 보더니 주학에게 열쇠를 건넸다.

"조금이라도 힘드시면 여기 카페에서 주무세요. 다용도실에 간이침대도 있어서 편하게 주무실 수 있을 거예요. 물론 강요하는 건 아니에요."

"이 열쇠는 뭔가요?"

"여기 비상용 열쇠에요. 얘가 걱정을 해대니 사장인 제가 아무것도 안 할 수는 없잖아요. 그래서 아까 간이침대랑 얇은 이불이랑 해서 꺼내놨어요."

태진은 아까 오후에 손님이 오시고 하영이 다용도실에 들어간 이유를 이제야 깨달았다. 하영의 꼼꼼함에 다시 깜짝 놀랐다.

"감사합니다. 이 친절함을 어떻게 갚아야 할지."

"괜찮아요. 청소 열심히 해주셨잖아요. 그거면 된 거죠."

주학은 이내 눈물을 흘렸다. 태진은 그런 그를 보며 적잖이 당황했다.

"제가 쉽게 울지 않는데, 사장님의 말을 들을 때마다 너무 감사해요. 계속 참으려고 해도 저를 계속 챙겨주시니, 뭐라고 할 말이…"

주학은 눈물을 소매로 닦아보지만 멈추지 않으니 아예 소매를 눈에 갖다 대고 있었다. 태진은 그에게 냅킨을 가져다주었다.

"많이 고생하셨을 거예요. 힘들면 얘기해주세요."

주학은 그녀의 말에 연신 허리를 굽혀 인사를 하고 밖으로 나갔다. 하영은 그의 모습이 어둠 속으로 사라지자, 태진과 함께 퇴근할 준비를 했다.

"수고 많으셨어요, 선배님."

"그래, 너도 수고 많았어."

짧은 인사였지만 둘은 서로를 바라보며 각자의 집으로 향했다.

"주은아, 아빠 말이야. 너를 여기에 못 데려온 게 나한테 원망스러웠어. 그깟 돈이 뭐라고 내 딸의 소원을 들어주지 못하다니. 모든 걸 해주고 싶다고 했는데 정작 네가 원하는 것 이뤄주지 못하고 말이야. 그래서 사람들하고 멀어지려고 했어. 아빠가 또 실수할까 무서웠어. 사람들의 따가운 눈초리에도 쉽게 다가가지 않으려고 했어."

주학은 나무의 거칠한 껍질을 부드러운 살을 어루만지는 것처럼 따뜻하게 어루만졌다. 나무의 껍질 따위로 주학을 멈추게 할 수는 없었다.

"그런데 저번에 너한테 인사한 언니가 나한테 엄청 살갑게 다가오는 거야. 아빠는 피하려고 했는데, 자기 이야기를 들어달라고 했어. 그리고 카페로 오라고 말이야. 카페로 들어가서 커피를 마시는데 자기의 과거를 이야기했어. 너도 이상하지. 그 얘기 듣고서 아빠도 너를 얘기했지. 그랬더니 같은 슬픔을 안고 있는 사람이니 서로를 위로해 주자고 했어. 아, 미안 또 아빠 얘기만 했구나. 주은이는 오늘 누구를 만났어?"

주학은 나무에 귀를 가져다 댔지만, 아무 소리도 없이 조용했다. 하지만 그는 어떠한 얘기를 들은 것처럼 고개를 끄덕였다.

"만약 사장님을 안 만났으면 어땠을까? 그랬다면 아빤 아직도 사람을 피하고 있었겠지. 만약에 말이야. 만약에, 주은이가 아빠 옆에 있었으면 어땠을까. 사장님한테 언니라고 부르며 친했을 텐데. 물론 오빠하고도 그랬겠지. 주은이는 모두하고 친했으니까."

남자는 감기는 눈을 다시 뜨고는 나무를 토닥였다.

"오늘도 고마워. 사람들한테 예쁜 벚꽃 보여줘서. 주은아, 그리고 나무야. 고마워."

3

세 번째 위로,
모든 게 안 풀리더라

주변 사람들은 성공의 길을 걷고 있는데
저만 늪에 빠진 것처럼 제자리에 있는 것 같고,
사람들은 그런 저를 바라보며 혀를 끌끌 차죠.
그런 모습에 제가 스스로 늪의 안쪽으로
들어가는 것 같아요.

벚나무에 벚꽃이 얼마 안 남은 때였다. 이젠 사람도 셀 수 있을 정도였고, 시끄러운 대화 소리도 잘 들리지 않는 봄의 정원이 되었다. 카페 안에는 손님들이 두세 명을 유지하고 있었고, 그들은 주학을 보아도 아무 신경을 쓰지 않았다. 태진은 카페의 신메뉴를 고민하고 있었고, 하영은 늘 그랬듯이 창가 자리에 앉아있었다. 벚꽃잎이 얼마 안 남아서 밖을 청소할 일도 줄어들어 주학은 다용도실에 있을 때가 많았다. 그는 뭐라도 도와주고 싶은 마음에 태진에게 물어보았지만, 그때마다 하영이 나타나 쉬고 있으라고 말해주었다. 하지만 손님이 떠나시면 어떻게 알아챘는지 순식간에 나와 탁자와 의자 그리고 바닥을 청소하였다. 덕분에 태진은 음료 제조에 집중할 수 있었다.

"너무 열심히 하시는 거 아니에요? 선배님은 앉아서 저러고 계시는데…"

"아닙니다. 제가 받은 만큼 돌려드린다고 생각하세요. 그리고 사장님은 저러고 계시는 게 더 좋습니다. 저도 사장님처럼 느긋하게 살고 싶네요."

하영은 둘의 대화가 들리지 않는지 밖만 바라보고 있었다. 그때 누군가가 카페로 들어오려는 듯 카페 쪽으로 걸어왔다.

"왔다."

하영은 짧은 말과 함께 자리에서 일어나 태진에게 걸어갔다. 태진은 누가 왔는지 궁금했다. 곧 문이 열리고 익숙한 손님이 들어왔다.

"안녕하세요. 주문해도 될까요?"

"아, 안녕하세요. 또 오셨네요."

태진은 그를 한눈에 알아보았다. 단 커피를 찾던 청년이었다. 하지만 정장이 아닌 편안한 옷차림에 슬리퍼를 신고 있었다.

"이번에도 시럽하고 설탕을 넣어드릴까요?"

"저번하고 똑같이 해주세요."

태진은 커피를 내리기 시작했고 그 향이 청년의 근처까지 퍼졌다. 청년은 그 향기에 이끌리듯 태진을 바라보았다.

"혹시 커피를 내리고 계시는 건가요? 다른 메뉴는…"

태진이 이야기를 하려고 했지만, 하영이 그의 등을 툭 치고는 대신 대답했다.

"저번과 같은 메뉴로 드릴까요?"

태진은 커피를 내리다가 적잖이 당황한 모습으로 하영을 바라보았다.

"선배님, 이분 저번에 와서 커피에 설탕과 시럽을…"

"아니, 커피 말고 과일 차. 배 맛이 나는 거로 드려."

"저번에 그런 걸 시키셨나요?"

"저번이 그 저번이 아니니까 그러지."

태진은 대화를 직접 하면서도 무슨 소리인지 이해가 되지 않았다. 그동안 대체 무슨 일이 있었던 건지 궁금했다.

"아, 너는 모를 수 있겠네. 사실 공연이 있던 날에 오셨었어. 그때, 너랑 아저씨가 나가고 얼마 안 있어서 터벅터벅 걸어오셨어. 그리고 나랑 짧은 대화를 나눴었지."

하영은 청년과의 두 번째 만남을 차근차근 설명했다.

"어? 아직 영업을 안 하는 건가요?"

하영은 깊은 사색에 빠졌다가 눈을 뜨고 문 앞을 바라보자, 저번에 왔었던 청년이 있었다.

"아니에요, 영업은 하고 있어요. 그런데 어떡하죠? 커피는 지금 안 되는데…"

"아, 그런가요? 다음에 와야 하나…"

"혹시 차는 괜찮으실까요?"

청년은 하영의 제안에 눈을 깜박였다. 살짝 당황스러운지 갈 곳을 잃은 손을 주머니에 겨우 찔러 넣었다.

"제가 쓴 건 못 마셔서요."

"달콤한 과일 차도 있어요."

청년은 달콤하다는 말을 듣고서 의자에 천천히 다가가 앉더니 하영에게 부탁했다.

"사장님이 추천하시는 메뉴로 부탁드려요. 달콤하게."

하영은 달콤한 차를 찾다가 배로 만든 차를 꺼냈다. 그리고 순식간에 달콤한 향이 나는 차를 청년의 앞에 내려놓았다.

"향이 좋네요."

"여기 있는 것 중에서 제일 달콤한 건데 만약 입에 안 맞으면 환불해 드릴게요. 제가 억지로 드렸으니까요."

"감사합니다."

청년은 김이 모락모락 나는 차를 한 모금 마셨다. 그리고 고개를 위아래로 끄덕였다. 하영은 안도의 한숨을 쉬었다.

"여기는 정말로 좋은 곳 같아요."

청년의 갑작스러운 말에 하영이 고개를 끄덕이고는 청년에게 물었다.

"이유가 뭔가요?"

"제가 하는 일은 뭐든지 안 풀려요. 어딜 가면 손님이 많아 이용 못한다거나 휴업한다고 그러고 무언가를 하면 끝은 무조건 엉망진창이되죠. 일이 잘 풀린 적이 없어요. 마치 저한테 불운의 신이 붙은 것 같아요."

하영은 그의 말에 얼른 맞은 편에 앉아서 들을 준비했다. 청년은 그녀의 태도에 이야기를 더 자세히 이어갔다.

"주변 사람들은 성공의 길을 걷고 있는데 저만 늪에 빠진 것처럼 제자리에 있는 것 같고, 사람들은 그런 저를 바라보며 혀를 끌끌 차죠. 그런 모습에 제가 스스로 늪의 안쪽으로 들어가는 것 같아요."

"맞아요. 일이 안 풀리는 것도 힘든데 열심히 안 해서 그렇다는 등의 이유로 오히려 질타하죠. 위로해도 모자랄 판에 말이죠."

"사장님 말이 맞아요. 이제 그 늪에서 나오고 싶어도 사람들의 시선과 손가락질이 너무 아프게 느껴지더라고요."

청년은 갑자기 울먹이기 시작했다. 하영은 당황스러운 그의 눈물에 얼른 손수건을 가져다주었고 카페 문을 잠갔다.

"왜 자꾸 누구를 이기라고 그러고, 자꾸 1등을 하라고 그러고, 대체 저에게 뭘 자꾸 바라는지 모르겠어요. 저는 져도 괜찮다고 생각하는데 자꾸…"

"괜찮아요. 얘기하기 힘들면 안 해도 돼요. 괜찮아요."

청년은 눈물을 멈추려 했지만 멈추기 어렵다는 것을 하영도 알고 있었기에 그저 위로할 수밖에 없었고 그의 말에 깊은 공감을 했다.

"그 맘 알아요. 울어도 돼요."

청년은 몸 안에 있던 울분을 다 쏟아내듯 몇 분가량을 울더니 천천히 진정했다.

"죄송해요. 그냥 사장님의 말이 너무 좋았어요. 제가 일이 안 풀릴 때, 걱정의 눈빛을 보내며 저에게 다른 방법을 제안해 준 사람은 처음이었어요. 저는 그냥 커피 한 잔을 마시러 온 손님이었는데, 신경 써주시는 모습이 제가 유일하게 일이 잘 풀린 곳인 것 같아요."

"저희는 그냥 카페가 아니거든요. 그냥 손님도 아니고요."

하영의 말이 끝나자, 청년은 식은 차를 벌컥벌컥 마시기 시작했다. 그리고 잔을 내려놓고는 밖을 보았다. 그녀도 그의 시선을 따라 같이 바라보았다. 밖은 공연의 시작을 알리는 듯 사람들의 함성과 노랫소리가 섞여 들려왔다.

"밖은 이렇게 아름답고 사람들은 신나는데 저만 우울했어요. 저처럼 우울한 사람이 또 있기를 바랐어요. 저만 이런 삶을 사는 게 아니라는 걸 알고 싶었어요. 정말로 안 좋은 생각까지 할 정도로 우울함의 끝에 있었던 것 같아요."

"그럴 때마다 여기에 오세요. 다음엔 커피를 드릴게요."

"아니에요, 다음에도 이 차를 부탁할게요."

"괜찮으셨나요? 혹시 저 때문에 괜찮다고 하시는 건 아닌지."

청년은 일어설 준비를 하며 고개를 좌우로 흔들었다.

"메뉴는 상관없어요. 커피보다 더 달콤한 것을 찾았거든요."

청년의 말에 하영은 옅은 미소를 띠었다.

"좋은 단어를 섞어서 얘기 잘하시네요. 그리고 걱정하지 마세요. 끝까지 안 풀리지는 않아요. 언젠가는 풀릴 거예요. 그때가 되면 꼭 여기서 일이 잘 풀렸다고 얘기해주세요."

청년은 하영에게 감사함을 표하고는 문을 열고 밖으로 나갔다. 하영은 비어있는 잔을 쳐다보더니 똑같은 과일 차를 가지고 자리에 앉았다. 그리고 청년의 말을 되뇌었다.

"커피보다 달콤한 것이라. 역시 위로는 때를 기다려야 해."

하영은 차를 한 모금 마시고 달콤함을 마음에 머금었다.

"뭐 이런저런 일이 이렇게 있었어."

하영의 상황설명이 끝나자, 태진은 멍하니 그녀를 몇 초간 보다가 입을 열었다.

"아니, 그런 일이 있었어요?"

"응, 네가 물어봤던 그 과일 차. 이제 이해가 되니?"

태진은 왜 꼭 자신이 자리를 비울 때 이런 일들이 있는지 놀라웠다. 이 사건이 하영이 지어낸 거짓이기를 바라고도 있었다.

"얘는 멍하니 뭔 생각을 하고 있어? 얼른 차나 가져다드려."

"아니에요, 괜찮아요. 시간이 많거든요."

태진은 차를 우리기 시작했고, 하영은 청년의 맞은편에 앉아 얘기하고 있었다. 하영은 청년에게 일이 잘 풀렸냐고 물었고, 청년은 머쓱하게 웃으며 늘 똑같았다고 대답했다.

"오늘은 무슨 일로 여기에 오신 건가요?"

"사장님께 감사하다는 말을 전하려고요. 저번에 왔을 때는 너무 울어서 말이 잘 나오지 않더라고요."

"괜찮아요. 감사하다는 말 들으려고 여기에 있는 게 아니니까요."

"그런데 사장님은 일이 잘 풀리시나요?"

청년의 물음에 하영은 손으로 자신을 가리키며 눈을 크게 떴다.

"저 말인가요?"

"네. 저를 위로해 주셨을 때, 제 위치에 있었던 분 같아서요. 제가 겪는 상황을 알고서 위로해 주시는 것 같아서 물어봤어요. 혹시 싫으시면 말 안 해주셔도 돼요."

"흠, 그 위치에 있었죠. 저도 워낙에 산전수전 다 겪어본 사람이라."

탁자에 하얀색의 잔이 놓임과 동시에 태진이 하영의 옆자리에 앉았다.

"저도 위로받고 싶은 사람 중의 한 명이었고, 위로에 목마른 사람이었어요. 그래서 사람들의 이야기를 듣고서 어떤 위로가 필요한지 알고 있죠."

하영은 사뭇 진지한 목소리로 청년의 질문에 대답했다. 태진도 그녀를 따라 진지해져서 그녀의 말에 귀를 기울였다.

"저는 지금까지 겪었던 모든 게 제 잘못인 줄 알고 있었어요. 물론 다른 원인이 있었겠지만, 그 화살을 저한테로 돌리고 있었죠."

청년은 그녀의 말을 듣다가 차를 한 모금 마셨다. 무언가 대화가 이어지고 있다는 느낌이 들었는지 다용도실에 있던 주학도 어느새 나와 있었다.

"사장님의 이야기도 한번 듣고 싶네요. 사장님이 제 이야기를 들어주셨던 것처럼 말이에요."

"제 얘기는 아무 데서나 풀지 않으려고요. 위로받고 싶은 사람들이 오는 곳에 제가 위로받고 싶다고 하지는 않을 거예요."

태진은 그녀를 보았다. 그러고 보니 그녀가 힘들다고, 위로받고 싶다고 얘기한 적은 단 한 번도 없었다. 하영이 아무리 느긋하고 장사에 뜻이 없는 사람처럼 보여도 사장이라는 직책에 책임감이 없지는 않을 테다. 하지만 태진에게 한 번이라도 자신의 상황을 얘기한 적은 없었다. 힘들어 보인 적은 있어도 다용도실에 들어갔다 나오면 언제 그랬냐는 듯 웃는 얼굴이었다.

"매번 집 한구석에서 제 마음을 어르고 달랬는데, 사람들이 봄의 정원 이야기를 그렇게 많이 하길래 어떤지 한 번 와봤어요. 그런데 제 마음이 두근거렸어요. 마치 분홍색 약을 제 마음에 발라주고 바람으로 말려주는 것처럼 어루만져 주는 기분이 들더라고요."

'봄의 정원'. 대중들은 보통 그렇게 부르지만, 어떤 사람들은 다른 이름으로 부르고 있었다. '치유의 공원', '분홍색의 약국'. 청년도 그 별명에 동의하고 있었다. 아니, 모두가 동의하고 있었다. 마음이 울적한 날이면 흩날리는 벚꽃잎에 자연스럽게 치유가 되는 신비로움이 존재하는 것 같았다.

"그래서 여행을 한 번 갔다 오려고요. 가서 마음을 추스르고 오려고 했어요. 당분간은 여기에 못 올 것 같아 오늘 온 거예요."

"여행이라, 좋네요. 여기보다 더 좋은 곳들이 많이 있으니까요."

하영은 여행이라는 말에 청년의 눈을 지긋이 바라보았다. 주학도 그 단어에 반응한 듯 더 가까이 다가갔다.

"제가 저를 집에 가두고 제 마음을 긁었는데 사람들의 질타라고 생각했나 봐요. 제 얼굴을 본 부모님이 무슨 걱정을 그렇게 하냐고 물어보시길래 그날에 있었던 일을 처음으로 얘기했어요. 부모님은 모르고 계셨더라고요. 제 얘기를 들어보시더니 아직 시간은 많으니 좀 쉬다 오라고 했어요. 그래서 여행을 가려고 계획하고 있어요."

"잘됐네요. 제 위로는 딱히 효과가 없었던 것 같지만…"

"아니에요, 사장님 덕분이에요."

"저는 그냥 차 한 잔과 몇 마디로 된 말을 했을 뿐인걸요. 일이 수없이 좋지 않게 흘러갔음에도 버텼잖아요. 끝까지 버티고 견뎌왔잖아요."

하영은 연신 고개를 흔들며 청년을 위로해 주었다. 청년은 그녀의 말에 흔들림 없이 찻잔을 들여다보았다. 처음으로 받는 위로의 말에 시선을 어디에 둬야 할지 난감한 표정이었다.

"여행 잘 갔다 오고 어디를 갔다 왔는지 설명해 주세요. 그러면 그때도 차 한 잔 마시면서 같이 얘기해요."

"맞아요. 저도 듣고 싶네요."

청년은 조심스럽게 자리에서 일어나 자신과 비슷한 나이의 청년에게 인사를 했다. 그리고 발걸음을 문 앞으로 옮기고 작은 목소리로 얘기했다.

"감사합니다. 또 오겠습니다."

문이 잠깐 열리고 닫히는 사이에 청년의 모습은 사라졌고 하영은 문밖을 보고 있을 뿐이었다.

태진은 그녀에게 하고 싶은 말이 많았다.

"선배님, 선배님은 위로가 필요한 순간이 눈에 보이나요? 저번엔 저를 말렸으면서 이번엔 위로하셨네요."

"그 순간이 눈에 보이는 건 아니야. 사람의 말과 행동을 잘 관찰해야 해. 어느 순간에 말과 행동에 자신에게 위로가 필요하다는 것을 섞어서 흘릴 때가 있어. 물론 당사자는 잘 모를 수도 있지만 말이야. 그때, 말을 걸어줘야지."

그녀는 자기의 말에 약간의 비유를 섞으며 이었다.

"환자가 아파서 병원에 가기도 전에 의사가 증상을 물어보면 얘기할 수 있을 것 같아? 자신의 증상을 선뜻 얘기하지는 못할 거야. 그런데 아파서 병원에 가서 의사가 증상을 물어보면, 술술 얘기하겠지. 의사가 궁금하지 않은 것까지도 얘기하고 의사의 말에 귀를 기울이겠지."

하영의 말에 태진은 커다란 깨달음을 얻은 듯 고개를 크게 끄덕였다. 주학도 그녀의 말을 듣고는 턱에 난 수염을 문지르며 가만히 서 있었다.

"물론 나는 의사가 아니니까 그냥 사람들의 말을 들어주는 것뿐이고 의사가 약을 처방하듯 해결책을 줄 수는 없지."

"하지만 많은 분의 문제를 해결해 주셨잖아요."

"위로는 결코 해결책이 될 수 없어. 해결책이 된다면 그건 위로가 아니지. 넌 내 옆에 있으면서 뭘 배웠니? 계속 말로는 배웠다고 깨달음을 얻었다고 말하더니 자꾸 그럴래?"

태진은 그녀의 눈빛에 살짝 주눅 들었고 청년한테 주려고 내렸던 커피를 홀짝 마셨다.

"나는 위로를 해줄 뿐, 해결책은 그들이 찾는 거야. 아까 그분이 뭐라고 했어? 부모님과 처음으로 얘기했다고 했잖아. 자신의 문제를 자신만 삼키고 있다가 처음으로 얘기했다고. 내가 부모님하고 얘기해 보라고 제안한 적은 없어, 그저 얘기 들어주고 차 한 잔을 내어 준 거지."

하영은 주눅 든 태진의 모습에 다시 차근한 목소리로 바뀌었다. 주학은 그녀의 모습에 꺼내려던 말을 다시 감추었다.

"아저씨, 혹시 하고 싶은 말이 있으세요?"

하영은 언제 주학의 얼굴을 보았는지 다물어진 입을 보고는 물어보았다.

"아, 그게, 저…."

주학은 쉽게 얘기를 꺼내지 못했다. 하영과 태진은 그런 그의 모습에 잠시 하던 얘기를 멈췄다.

"잠시 일을 쉬려고 합니다."

주학의 말은 당황스러웠다. 하영은 매번 성실했던 주학에게서 그런 말이 나올 줄 꿈에도 모르고 있었다. 혹시 자신이 무슨 실수를 저질렀는지 생각하고 있었다. 당황스러운 것은 태진도 마찬가지였다. 그는 아무 말도 하지 못하고 주학의 얼굴만 바라볼 뿐이었다.

"혹시, 힘드신 게 있었나요? 그렇다면 얘기하셔도….”

"아니요, 너무 좋았습니다. 사장님도 태진 씨도, 두 분 다 좋았고, 일하는 것도 행복했습니다."

주학의 말은 둘의 궁금증을 더 크게 부풀렸다. 그는 청년이 앉았던 자리에 앞치마를 풀고 앉았다.

"아까 청년의 말에 깊은 공감을 했습니다. 저도 제 마음을 가두고 있었습니다. 주은이의 빈자리가 제 탓이라고 생각되어서 그런 일이 있고는 며칠 밤을 꼬박 셌습니다. 그 작은 손가락으로 약속했었는데 그 약속을 지키지 못한 제가 너무도 미웠습니다. 그래서 주은이가 있는 이 공원을 벗어나지 못했습니다. 그러다 두 분을 만났고 그리 많은 날이 지나지는 않았지만, 많은 것을 배웠습니다. 제 마음을 열고 싶어졌습니다."

하영은 그의 말을 듣고는 천천히 주학에게로 다가와 그가 벗어놓은 앞치마를 들고 곱게 접기 시작했다.

"그러니까 주은이와 함께 여행을 가고 싶다. 이 말씀이죠?”

하영은 그가 미안한 마음에 돌려서 말하고 있다는 것을 파악하고 요점을 말했다.

"그렇습니다. 두 분께는 정말로 죄송합니다. 보잘것없는 저에게 일자리를 주셨는데 제가 감히….”

"쉬었다 오세요. 태진아, 우리 휴가 있는 거 알지?”

"아, 네. 당연하죠”

사실 휴가는 없었다. 태진도 그녀에게 휴가가 있다는 말을 듣지도 못했다. 하지만 상황을 보니 하영은 주학의 미안한 마음을 조금이나마 없애려고 거짓말을 한 것 같았다.

"휴가를 쓰면 돼요. 맘껏 쉬다 오세요."

"혹시 휴가가 며칠인지⋯."

"아, 제가 초반에 얘기한 그대로예요. 모든 건 직원 마음대로, 아시죠?"

급조한 휴가에 급조한 규칙. 당연히 이상할 수밖에 없었다. 어떤 사장이 직원에게 무제한으로 휴가를 줄 수 있겠는가. 하지만 하영이 얘기하자 모든 걸 수긍할 수 있을 정도로 바뀌었다. 막무가내의 하영 덕분이었다.

"정말입니까? 제가 괜히 두 분께 심려를 끼쳐드리는 건 아닌지."

"정말이에요. 그래서 저는 예전에 한 달 동안 쉰 적이 있어요. 그렇죠?"

태진이 하영의 어깨를 툭 치며 맞장구를 쳤다. 하영도 이에 질세라 없던 상황을 만들었다.

"그러니까, 그때 나 엄청 힘들었잖아. 어디 갔었더라?"

"유럽이었잖아요. 제가 사진도 보여주고⋯."

둘은 순식간에 유럽을 갔다 온 태진을 지어냈다. 지금의 태진은 꿈도 못 꿀 환상 속의 태진이었다.

"아, 그렇습니까. 저는 국내만 생각했었는데."

"국내도 좋죠. 그러니까 걱정하지 마시고 잘 갔다 오세요."

"정말로 괜찮겠습니까?"

계속 반복되는 주학의 말이 이해는 되었다. 너그러운 마음으로 카페의 직원으로 뽑아줬지만, 갑자기 여행을 간다고 일을 쉬겠다는 것은 어찌 보면 은혜를 갚을 줄 모르는 것 같았다. 하지만 하영은 그의 마음을 잘 알고 있었다. 그가 딸과 했던 약속이 이뿐만은 아니라는 것도 알고 있었다.

"저도 어렸을 때, 부모님께 얘기한 적이 있어요. 같이 여행 가자고. 그때는 아무것도 모를 때라 그냥 갔다가 오면 되는 줄 알았죠."

"그렇죠. 주은이도 TV만 보면 거기로 가자고 졸랐으니까요. 다음에 가자고만 몇 번을 얘기했는지 몰라요."

"잠시만요."

하영은 빠르게 다용도실로 들어갔다. 서랍을 뒤적이는 소리가 나다가 하영이 밖으로 나왔다.

"이건 선물이에요. 그동안 성실하게 일해주신 것에 대한 선물."

그녀의 손에는 두꺼운 흰 봉투가 들려 있었다. 주학은 그 두께에 깜짝 놀라고는 손사래를 쳤다.

"아니에요, 이런 걸 주실 필요는 없습니다. 괜찮습니다."

"아저씨, 겨우 한 달 근무하셨어요. 제가 드린 월급으로 여행을 다녀오신다고요? 몇 군데 못 가실 거예요. 주은이 맛있는 것도 사 줘야죠."

그리고 주학에게 봉투를 찔러 넣었다. 하지만 주학도 봉투를 넙죽 받을 수는 없어서 그녀의 손을 힘으로 밀어댔다.

"아니에요, 정말로 괜찮습니다. 이렇게까지 안 해주셔도 됩니다."

하영은 주학의 말에 봉투를 탁자 위에 올려두었다.

"태진아, 서랍 위치 알지? 다시 잘 넣어줘."

태진은 봉투를 들고 다용도실로 들어가자, 하영이 주학에게 밖으로 나가자고 손짓했다. 둘은 테라스에서 공원을 바라보며 천천히 말을 이어갔다.

"주은이 잘 데리고 다녀오세요. 저희 걱정은 마시고 오늘은 조퇴하시고요."

"아니요, 오늘은 끝까지…."

"여행이 간다고 그냥 갈 수 있는 게 아니라는 건 잘 알고 계시잖아요. 준비할 것도 많으니까요. 저희가 아저씨 얼굴 잊기 전에 다녀오세요."

"정말로 감사합니다. 사장님은 정말로 좋으신 분입니다. 나중에 다시 뵙겠습니다."

주학은 하영에게 고개를 숙여 인사하고 카페 안으로 들어가 다용도실에 두었던 외투를 급하게 입고선 다시 밖으로 나왔다. 태진이 따라 나오고 주학은 하영과 태진에게 거듭 인사를 하고는 벚나무를 향해 뛰어갔다. 그러자 하영이 태진의 옆구리를 살짝 찔렀다.

"서랍에 잘 넣어뒀지?"

"제가 선배님 서랍을 어떻게 알아요. 한 번도 어딘지 얘기 안 해줬잖아요. 그래서 아저씨 외투 안쪽에 넣어뒀어요."

"내 말 잘 이해했네. 걱정했잖아."

둘은 테라스의 난간에 몸을 기대고는 앙상해져 가는 벚나무들을 바라보았다.

"이제 벚꽃이 다 떨어졌네. 아직 봄은 남았지만 끝났다고 봐야겠지?"

태진은 말없이 끄덕이고는 카페 안으로 들어갔고, 하영은 그 뒤를 천천히 따라 들어갔다.

주학은 나무에 기대어 속삭였다.

"주은아, 우리 여행 가자. 네가 가고 싶었던 곳 다 가보자. 어때?"

나무는 가만히 있었지만, 주학에게는 목소리가 들렸다.

"응, 가고 싶어!"

주학은 손수건을 꺼내려 외투를 뒤적이다가 안주머니에 있던 봉투를 발견했다. 그리곤 눈물을 뚝뚝 흘렸다.

"그래, 갔다 오자. 갔다 오자. 반드시 오자."

그나마 남아있던 벚꽃잎이 바람을 타고 날아간다. 나무의 절반 정도는 앙상한 나뭇가지만이 남았고 몇 그루만이 조금이라도 남은 벚꽃잎을 떨구고 있었다. 봄의 정원은 더는 분홍색을 띠지 않았다. 하영의 카페뿐만 아니라 다른 카페의 손님도 줄기 시작했다. 넓은 공원을 산책하거나 공원에 사람이 많을 걸 걱정해 느지막하게 찾아온 손님도 있었다. 하지만 봄의 정원을 찾아온 손님과 공원을 찾아온 손님의 수의 차이는 확연하게 드러났다. 그래서 잠시 휴업하는 카페도 있었고, 리모델링을 하는 카페도 있었다. 하지만 '위로를 위해서'는 항상 그 모습 그대로였다. 아무리 손님이 없어도 문을 닫는 일은 없었다.

"선배님, 아저씨는 잘 계실까요?"

"걱정돼? 아저씨는 잘 계시겠지. 성실하신 분이잖아."

"청년은 잘 있을까요?"

"그렇겠지? 아마도."

둘은 테라스를 보며 카페를 왔었던 사람들을 읊어댔다. 그때 한 남자가 문을 열고 들어왔다. 다른 카페의 사장이었다.

"어, 여기 계셨네요. 음? 세 분 아니었나요? 저번에 오신 분은요?"

"아, 잠시 다른 곳에 가셨어요. 사연이 있으셔서요. 그런데 왜 오셨나요?"

"맞다, 내가 이러고 있을 때가 아니지. 저희 카페에 사장들끼리 모이기로 했어요. 한 10분 정도 있다가 하영 씨도 오세요."

"혹시 '봄 회의'인가요?"

"그렇죠. 이맘때에 다들 모이잖아요."

일명 '봄 회의'. 봄이 끝나갈 때쯤에 사장들이 모여 다른 계절을 어떻게 대비할지 얘기하는 회의였다. 그 회의에서 채택된 방법으로 봄이 아닌 다른 계절 동안 유지를 하기로 했다. 하영은 그 회의를 하는 것이 세상에서 제일 싫었다. 손님을 유치하려는 그들의 노력이 하영에게는 필요가 없었기 때문이었다. 하지만 예전에 이 회의에 참석하지 않았다가 곧 문을 닫은 카페가 있었기에 일단은 따르기로 했다.

"그럼 10분 뒤에 오세요. 좋은 아이디어도 있으면 좋고요."

밖으로 나간 카페 사장님은 곧바로 오른쪽의 카페로 들어갔다.

"아니, 젊은 사람의 아이디어를 원한다고 그렇게 얘기하는데, 내가 제일 젊은 거지, 다른 사장들이 늙은 건 아니거든. 30대도 있고 그런데 왜 나한테만 그러는지 모르겠네."

"하하, 다른 사람들 눈에는 신기한가 보죠. 손님이 얼마 없어도 유지가 되는 카페는 저희가 유일하잖아요."

"후, 어찌 됐든. 나는 회의하러 갈 테니까 혹시 손님 오시면 잘 해줘."

"네, 잘 다녀오세요."

하영은 수첩과 펜을 들고서 옆 카페로 가고 태진은 테라스 청소를 하러 밖으로 나갔다. 주학이 떠나고 오랜만에 하는 테라스 청소에 추억을 떠올리며 바닥을 쓸었다.

한 시간이 지났을 무렵 하영은 한숨을 연거푸 내쉬면서 카페로 들어왔다. 태진은 하영의 모습에 분명 회의에 불만이 있음을 알아챘다.

"왜요? 또 이상한 얘기를 해요?"

"휴, 다들 대체 무슨 생각들인지 이해가 안 된다니까."

"작년처럼 카페마다 캐릭터를 만들라는 것보다요?"

"아니, 그 정도는 아닌데, 이번 것도 별로야."

"뭔데요?"

"플라워카페로 만들자고 했어. 꽃이 아주 화려하게 피어있는 카페 말이야. 대체 어떤 생각에서 나온 걸까?"

"그 꽃들 관리하는 게 쉬운 일이 아니잖아요. 그리고 관리비가 더 나갈 텐데."

"내 말이. 그래서 거기서 크게 한마디 하려다가 그럼 너는 좋은 아이디어가 있냐는 소리 들을까 봐 아무 말도 못 했지. 일단은 규모가 작은 카페들은 이번에는 넘겨도 된다는데 우리는 애매하니까, 에휴, 모르겠다."

"선배님, 그러면 이번에 저희는 안 해도 된다고 그러면 제 아이디어가 살짝 있는데 한 번 해보실래요?"

"몰라, 나 지금 머리 아프거든? 있다가 다른 사장님께서 오실 거야. 오셔서 우리 카페 규모 보시고 얘기하실 거니까. 잘 들어둬. 난 다용도실에서 잠깐 쉴게."

태진은 그녀를 말릴 수 없었다. 말도 안 되는 얘기가 한 시간 동안 오갔을 테니 피로가 안 쌓일 수가 없었다. 작년의 캐릭터도 그랬다. 카페마다 캐릭터를 만들어 인형처럼 각종 상품을 만들라는 것이었지만 전문가도 아닌 그들 사이에서 멀쩡한 캐릭터가 나올 리는 만무했다. 캐릭터를 만들자는 아이디어를 낸 장본인도 어디서 베낀 캐릭터를 만들었고, 사람들의 따가운 눈총을 받았다. 결국엔 얼마 못 가 이상한 계획은 흐지부지 끝났다.

"아이고, 사장님 어디 가셨나?"

"아, 오셨네요. 사장님께서 볼일이 있으셔서 잠깐 나가셨어요."

태진은 카페의 규모를 확인하러 온 사장에게 인사를 했다. 하영이 얘기한 30대 사장이었다. 아마 이번 회의 결과를 이 사장이 낸 것 같았다. 그는 카페를 둘러보더니 수염이 조금 있는 턱을 어루만졌다.

"흠, 생각보다 작네. 그래도 다육 식물은 둘 수 있겠고, 화분 정도는 괜찮겠는걸."

"아, 그게, 제가 풀 알레르기가 있어서요."

태진이 갑자기 사장에게 뜬금없는 얘기를 하기 시작했다. 사장은 당황한 듯 태진의 말에 대답했다.

"아니, 풀 알레르기? 그런 알레르기가 있나?"

"네, 너무 심해서 제가 식물원도 안 가봤어요."

"흠, 얼마나 심한지?"

"풀을 만지면 피부에 막 뭐가 나고 그냥 벌에 쏘인 것처럼 퉁퉁 부어요."

태진의 자세한 설명에 사장은 깊게 파고들지 않았다.

"그래? 많이 힘들었겠네. 풀 알레르기라. 여기는 하면 안 되겠네. 알겠어. 사장님 오시면 여기는 이번에 넘겨도 된다고 말 전해줘. 그리고 알레르기약 있으면 꾸준히 먹고. 나도 집먼지진드기 알레르기가 있는데 꽤 고생한다고."

"아, 감사합니다. 제가 사장님께는 꼭 전달하겠습니다."

사장은 끝까지 긴가민가한 표정으로 고개를 갸우뚱거리며 밖으로 나갔다. 그가 나감과 동시에 하영이 다용도실에서 얼굴을 살짝 내밀곤 태진에게 물었다.

"진짜야? 풀 알레르기 말이야."

"아뇨, 저는 없고 저희 어머니가 풀독이 심하셨어요."

"뭐, 반은 거짓말이고 반은 진실이었네. 그래도 잘했어. 그런데 어떡하니? 공원에서 카페를 한다는 애가 풀 알레르기라는 엄청난 거짓말을 했으니."

하영의 말을 들은 태진은 입을 다물지 못했다. 그는 카페가 공원 바로 옆에 있다는 걸 간과하고 있었고, 특히나 그 공원에서 공연이 가끔 열린다는 사실을 잊고 있었다. 이제 태진이 공원을 나가는 모습이 사장에게 보이면 거짓말이라는 게 들통날 게 뻔했다.

"어떡하죠?"

"됐어. 풀에 가까이 가면 안 된다고 이 정도는 괜찮다고 해야지. 그러니까 누굴 도와주고 싶어도 조금 더 생각하고 해봐. 불쌍하니까 이번에만 도와줄 테니까."

위로를 위해서

4

네 번째 위로,
이별은 아무 말도 없이

이별 말이에요. 참 어렵죠.
말없이 찾아오니까요.
운명의 만남인 줄 알고 있었는데,
아니, 그렇게 믿고 싶었는데 누구의 잘못이든
사이가 갈라지는 건 마음이 꽤 아픈 거예요.

공원 옆 카페들은 새로이 단장을 마쳤다. 외벽에는 작은 화단들이 놓여 있고, 카페 안에는 각종 화분이 놓여 있었다. 꽃은 자신을 보라는 듯 꽃잎을 활짝 피웠고, 꽃의 향기는 커피의 향과 어우러져 기분 좋은 하루를 보내기 완벽했다. 하지만 그런 카페 사이에 꽃이 한 송이도 없는 곳이 '위로를 위해서'였다. 30대 사장은 그럼 외벽에 꽃을 그리라고 조언했지만, 향기도 나지 않는 꽃을 그려서 뭐 하냐고 하영이 거절하는 바람에 그냥 그대로 있기로 했다. 꽃이 핀 카페 사이에서 유일하게 꽃이 피지 않은 곳이었지만 하영은 이에 만족하고 있었다.

다만 태진이 너무 그대로라면 좋아 보이지 않는다고 사비로 구매한 작은 메뉴판을 카페 앞에 세워뒀다.

"메뉴판? 이걸로 뭐 하게?"

"음, 그날의 추천 메뉴를 적는 거죠. 그러면 손님에게도 보일 거고요."

작은 초록색 메뉴판에 분필로 '오늘의 메뉴'를 적는 것 하루의 일과가 더 늘었지만, 태진은 힘든 기색을 내지 않았다. 자신의 아이디어가 지금보다는 많은 손님을 부를 것이라고 장담하고 있기 때문이었다.

"오늘의 추천 메뉴는 뭐라고 할까?"

태진은 하늘색 분필을 들고서 이리저리 오가며 중얼거렸다.

이렇게도 써보고 저렇게도 써보지만 전부 맘에 들지 않았다. 하영이 밖으로 나오더니 분필을 확 낚아챘다. 그러고는 손을 휘저으며 태진에게 안으로 들어가라고 했다.

하영이 메뉴판을 쓰고 있는데 여자 한 명이 걸어가다가 발걸음을 멈췄다. 그리고 하영의 행동을 유심히 보더니 그녀에게 말을 걸었다.

"안녕하세요. 여기 이름이 신기하네요."

"네. 위로를 위해서. 특이하죠?"

"오늘의 추천 메뉴도 그렇네요."

"위로가 필요하시다면 언제든지 오셔도 좋아요."

여자는 하영을 뒤로하고 카페로 들어와 넓은 자리에 앉았다. 뒤에는 작은 책장이 있었고 책의 제목을 읊으며 좋은 제목의 책이 있는지 찾아보았다. 책장도 메뉴판과 같이 태진의 아이디어였다.

"무엇을 주문하시겠어요?"

태진이 여자에게 다가가 정중하게 물어보았다. 여자는 생각할 시간도 없이 오늘의 추천 메뉴를 달라고 얘기했다. 태진은 오늘의 추천 메뉴가 뭔지 몰랐기에 하영을 조심스럽게 바라보았다. 하영은 메뉴판을 들고서 손가락으로 가리켰다.

'추천: 새콤한 아이스티로 맞이하는 이른 여름 그리고 새콤한 위로.'

태진은 글귀를 보자마자 아이스티를 만들 준비를 했다. 하영은 테라스 난간에 기대어 공원을 바라보다 카페로 들어왔다. 여자는 하영에게 궁금한 것이 많았는지 연이어 물어보았다.

"여기는 사람이 별로 없네요. 한적해서 좋아요."

"감사합니다. 좋으신 만큼 즐겨주세요."

"약간 시골의 카페인 것 같아요. 막 꾸며져 있지도 않은데 편하고."

"다들 그렇게 얘기하세요."

태진이 아이스티를 탁자에 내려놓았다. 길쭉한 유리잔에는 갈색빛의 새콤한 아이스티와 네모난 각얼음이 서로의 자리를 차지하기 위해 분주히 달그락거렸다. 그 위에는 레몬 한 조각이 편하게 유리잔에 기대어 있었다. 여자는 아이스티를 한 모금 마시고는 만족의 미소를 띠었고, 하영은 그녀의 앞에 작은 향초에 불을 켜 놓았다. 그녀는 향초와 아이스티의 향을 번갈아 맡고서 이야기를 꺼냈다.

"저…, 위로받고 싶다면 어떻게 해야 하나요?"

"네? 위로요?"

태진이 다른 짓을 하다가 여자를 봤을 때는 살짝 울먹거리고 있었다. 놀라운 것은 그뿐만이 아니었다. 처음부터 위로해달라는 사람도 처음이었다. 하영도 적잖이 놀랐는지 눈이 동그래져서 그녀를 보았다.

"위로가 필요하시다고요? 아, 어떤 일이 있으신 건가요?"

"어제 헤어졌어요. 5년을 사귀었는데…"

이별한 여자의 이야기는 어디선가 들어본 적이 있는 흔한 이별 얘기였다. 고등학교 친구에서 시작해 사귀다가 사소한 문제로 다투게 되었고 결국에 헤어졌다는 것이었다.

"더는 어떤 사연이 있는지 물어보지는 않을게요. 이별을 겪으신 거군요."

"네, 다 제 잘못이에요. 제 얘기만 하느라 남자친구는 힘든 줄도 모르고…."

하영은 그녀에게 어떻게 위로해야 그녀의 기분이 나아질지 몰랐다. 태진에게 속삭이듯 얘기하고는 여자의 맞은편에 앉아도 될지 허락을 구했다.

"태진아, 노래 잔잔한 거로."

"이미 잔잔한 노래인데요?"

"더 잔잔하게. 거의 안 들릴 정도로."

하영은 맞은편에 앉아 두 손을 모아 탁자 위에 놓았다. 두 손은 가만히 있지 못하고 모양을 계속 바꾸는 게 무슨 말을 해야 할지 모르는 것 같았다.

"죄송해요. 위로하고 싶은데, 이별한 사람에게 위로는 어쩌면 독약이 될 수도 있거든요. 그래서 조금 걸리겠지만 괜찮다면 기다려 주세요."

여자는 그녀의 말에 고개를 살짝 끄덕이고는 차가운 유리잔을 두 손으로 잡았다. 그녀도 손을 어디에 둬야 할지 난감했다. 유리잔에 차가운 물방울이 맺혀 그녀의 손에 떨어지지만, 손은 유리잔에서 떨어질 기미가 안 보였고, 그 모습을 본 태진은 냅킨을 가져다가 그녀의 옆에 두고 카운터에서 둘의 모습을 바라보았다.

"괜찮아요. 제 잘못으로 헤어졌는데 제가 위로받을 자격은 없다고 생각해요. 위로는 남친이 받아야 하는데. 제가 뭐라고…."

"아니에요, 위로는 받아야 하는 사람이 정해진 게 아니에요. 힘들다면 위로가 필요한 거죠. 그러니까 일단 마음 추스르고 계세요."

여자는 결국 눈물을 흘리기 시작했고 하영은 당황스러운 그녀의 눈물에 자신의 손수건을 그녀에게 주었다. 그리고 그렇게 우는 모습을 보자 조심스레 말을 꺼냈다.

"이별 말이에요. 참 어렵죠. 말없이 찾아오니까요. 운명의 만남인 줄 알고 있었는데, 아니, 그렇게 믿고 싶었는데 누구의 잘못이든 사이가 갈라지는 건 마음이 꽤 아픈 거예요."

하영의 말에 여자는 고개를 조금씩 들기 시작했다. 얼마나 울었는지 두 뺨은 붉어졌고 눈동자는 모래알처럼 반짝였다.

"사람은 처음부터 완벽한 사랑을 할 수 없어요. 겪어가면서 자신의 문제를 파악하는 거죠. 다른 사람에게는 더 나은 사람이 되어 더 나은 사랑을 해줄 수 있게 말이에요."

여자는 하영의 말에 고개도 끄덕이지 못하고 음료도 마시지 못했다. 이별의 원인을 자신의 탓으로 돌렸지만, 하영은 계속해서 그녀의 탓이 아님을 알려주었다.

"사람이란 욕심이 있는 존재잖아요. 자기 뜻대로 흘러가기를 바라고 자신이 원하는 결과물이 나타나기를 기다리죠. 하지만 그렇다고 흐르는 강의 흐름을 마음대로 바꿀 수 없고, 철광산에서 금이 나올 수는 없는 거죠. 그래도 그 욕심이 사라지지는 않아요. 그 욕심은 결국 잘못된 마음이라는 걸 알아채야 비로소 작아져요."

욕심. 여자에게 있던 남자를 향한 욕심이었다. 자신의 이야기를 들어줬으면 하는 욕심. 자신을 걱정해 줬으면 하는 욕심. 그리고 그보다 더 크고 작은 욕심들. 여자는 지금까지 남자에게 말로는 들어만 달라고 했지만, 위로를 요구하고 있었다는 것을 깨달았다. 남자는 그 욕심의 크기에 버티지 못해 그녀를 떠난 것이었다. 남자도 얘기하고 싶었고, 걱정해 주기를 바랐지만, 여자의 욕심에 끝까지 자신의 욕심을 억누르고 있었다.

"아마 욕심이 줄어들지 않으니 갈라졌을 테죠. 이별은 누구의 잘못이 아니에요. 미리 배워서 실천할 수 없는 것으로 가득하니 실수할 수도 있고 결국에 이별할 수도 있어요. 그러니까 자신의 탓이라고 돌리지 마세요. 이번 일을 발판 삼아 더 나은 사랑을 누군가에게 전해주세요."

여자는 겨우 그쳤던 울음을 다시 터뜨렸다. 여자는 카페에 들어서자마자 남자에게 했던 것처럼 위로를 요구했었다. 그때까지는 자신의 욕심을 알아채지 못했기에 그랬지만 하영의 말을 듣고는 자신의 욕심을 보았고 자신이 지금까지 무슨 일을 했는지 되짚어봤다. 모든 순간은 그녀의 눈물샘을 자극했고 자신에게 돌렸던 화살이 마음에 낸 상처에 눈물이 닿자 쓰라린 고통이 올라왔다. 위로의 눈물과 고통의 눈물이 섞여 쓴맛을 만들어 냈고 새콤한 아이스티를 한 모금 마시며 마음을 달랬다.

"너무 힘들었어요. 저 때문에 사랑하던 사람이 떠나가니까 눈앞이 흐려지고 모든 사람이 저에게 손가락질하고…."

"힘들죠. 그래도 다행인 건 자신의 욕심을 깨달은 거예요. 만약 그것을 인지하지 못하고 사랑을 한다면 다시 이와 비슷한 이별을 겪었을 거예요."

"그깟 욕심이 뭐라고…."

"털고 일어나세요. 다음엔 더 나은 사랑을 할 수 있도록. 털고 일어나세요. 이번 이별은 그 자세를 배우는 첫 번째 시간이었으니까요."

"감사해요."

여자는 울음을 그치지 못했다. 그렇다고 울지 말라고 한다면 그간 아팠던 마음을 뱉어내지 못할 테니 하영은 그녀가 괜찮아질 때까지 자리를 피해주었다. 태진은 혹시라도 음악이 방해될까 끄려고 했지만, 하영이 말렸다. 음악만큼 위로가 되는 수단은 없다면서 대신 음악을 피아노 음악으로 바꾸라고 했다. 피아노의 선율은 밝았지만, 여자의 흐느끼는 소리가 섞였고 얼마 지나지 않아 여자는 울음을 그쳤다. 하영은 그녀에게 다가가 등을 토닥였고 여자는 고개를 들고 마지막 아이스티를 마셨다.

"또 와도 되나요?"

"위로가 필요하다면 언제든지 오세요. 저희는 계속 여기서 기다릴게요."

여자는 카페 문을 반쯤 열고 하영과 태진에게 인사를 하고 마지막으로 웃으며 카페를 나섰다.

하영은 깊은숨을 내쉬고 태진을 토닥였다.

"너도 수고했어. 우리도 아이스티 한 잔씩 마실까?"

둘은 자리에 앉아 아이스티를 마시며 여자 손님을 생각했다. 자신의 욕심 때문에 이별을 겪은 사람. 주변에서 흔하게 볼 수 있는 유형이었다. 하지만 그런 사람을 만날 때면 누구의 잘못이 먼저인지를 따지곤 했다. 여자도 처음부터 자신 때문이라고 했었다. 그런데 하영은 그 잘못을 여자에게 돌리지 않았다. 사람이 가지고 있던 욕심. 여자의 잘못이 아닌 욕심에 약한 인간의 잘못으로 치부한 것이었다.

"선배님은 어떻게 그런 생각을 하신 거예요? 볼 때마다 신기해요. 마치 모든 일을 다 겪어본 사람 같아요."

"사람이 어떻게 모든 일을 다 겪어보겠니? 그냥 주위에서 들은 얘기를 잘 섞어서 하는 거지."

올해만 해도 벌써 3명을 위로해 주었다. 아니, 아직 봄이 지났을 뿐이었다. 하지만 아직은 위로가 필요한 사람들이 많이 있을 거고 그들은 그런 사람들을 기다리는 게 하루의 일과였다.

둘은 아이스티를 마시고 정리를 하고 있었다. 그때, 하영이 커피를 자주 외상을 하던 옆 카페 사장이 문을 열고 들어왔다.

"오셨어요? 일은 다 끝나셨나요?"

"응. 하영이는 다 끝났어?"

"네, 저희도 슬슬 문을 닫으려고 준비 중이었어요."

"아, 안녕하세요."

익숙한 목소리에 다용도실에 있던 태진이 밖으로 나왔다. 하영은 사장님을 자리에 앉히고 그 옆에 앉았다.

"그래서 무슨 얘기를 하시려고 오신 거죠?"

태진은 자느라 몰랐지만, 오늘 오전에 하영이 개점을 할 때, 사장님께서 오셨었다. 할 얘기가 있으니 마감하고 우리 카페로 온다고 했었다. 갑작스러운 방문 예고에 어떤 얘기들이 나올지 걱정이 되었다.

"다름이 아니라, 이번에 폐업하려고."

"네? 폐업이요? 장사 잘되셨잖아요."

하영에게 옆 카페 사장님은 가장 친근한 분이었다. 이번 '봄 회의'에서도 플라워카페 얘기가 나왔을 때, 반대의 의견을 피력할 정도로 이상한 사장들 사이에서 가장 멀쩡한 사장님 같았다. 하지만 갑자기 폐업이라니 청천벽력 같은 소식이었다.

"그게, 요즘 젊은 사장들 사이에서 내가 할 수 있는 게 없더라고. 체력도 부족하니까 몇 시간을 일하니까 피곤하고 그래."

"아니, 사장님만큼 친절한 분이 어디 있다고요. 그리고 힘들면 저희 직원 데려다가 쓰세요. 어차피 저희 카페는 사람도 없으니까 데려가도 돼요."

"걱정해 줘서 고마워. 하지만 이미 결정한 일이야. 마음 다잡았으니까."

"그래도 여기서 몇 년을 계셨는데 이렇게 갑자기 가신다니까…"

"오래 있었으니 비켜줘야지. 나이를 믿고 계속 버티기에는 다른 사장들에게 미안하고 말이야. 카페는 젊은이에게 맡겨야지."

"그동안 감사했어요. 외상도 잘해주시고."

"내가 하영이만큼은 믿었거든. 지금 생각하면 잘 믿은 거지. 날 걱정해 주는 이가 있다는 게 정말로 뿌듯하거든."

하영은 어떻게든 사장님의 폐업을 막고 싶었다. 그래야 자기 뜻을 이해해 줄 누군가가 있다는 생각에 편하게 이곳에서 유지할 수 있을 것 같았다. 하지만 사장님의 굳은 마음을 어떻게 뜯어고칠 수는 없었다.

"사장님 가시면 카페는 어떻게 하시게요? 지금 봄이 끝나갈 때라 다른 사업자가 오지는 않을 텐데."

"아, 그것 때문에 내가 하영 양에게 먼저 이 얘기를 하는 거야. 혹시 우리 카페 자리로 옮기지 않을래? 여긴 너무 좁잖아."

"네? 옮기라고요?"

"그래, 여기에서 하영이가 꿈을 펼치기에는 너무 좁은 것 같아. 공간이 넓어야 뭐든 할 수 있겠지. 내가 돈은 안 받을 테니까 우리 카페로 옮겨."

너무나도 유혹적인 제안이었다. 하영의 카페에 비해 사장님 카페의 규모는 거의 3배 정도의 차이가 났기 때문이다. 만약 자리를 옮긴다면 어떤 생각이든지 이룰 수 있을 것 같았다. 태진은 어서 하영이 파격적인 제안에 응하기를 기다리고 있었다. 하지만 하영은 역시 하영이었다.

"괜찮아요. 저는 작은 게 더 맘에 들어요. 포근하잖아요."

"선배님, 지금 엄청난 제안이 들어왔는데, 지금을 놓치면….."

"아니, 우리한테는 규모가 크다고 좋은 건 없어. 지금까지 문제없이 잘 해왔잖아."

"그렇긴 한데…."

"역시 하영이야. 그래, 일단은 자리는 내놨어. 혹시라도 좋은 사람이 들어오면 하영이가 잘 해줘. 다른 사장들은 영 못 믿겠단 말이야."

"네. 알겠어요. 사장님도 건강히 계세요. 그리고 가끔 놀러 오세요. 일상 얘기하며 시간 보내요."

"그래. 어이쿠, 시간이 벌써 이렇게 지났네. 그럼 나는 내일 마지막으로 카페 정리하고 사장님들 불러서 얘기할 테니까. 하영이는 내일 와서 처음 들은 척해줘. 혹시라도 내가 하영이한테만 미리 얘기한 걸 알면 뭐라고 할 수도 있을 거야."

"알았어요. 저만 믿으세요."

옆 카페 사장님이 나가고 하영은 태진과 카페 정리를 하면서 얘기했다.

"태진아. 오늘 말이야. 벌써 두 번의 이별을 겪었어. 이별을 한 사람의 이야기를 들어주었고, 곧 이별할 사람의 이야기를 들었어. 넌 어떻게 생각해?"

"어떻게 생각하냐고요? 글쎄요. 저는 잘 모르겠어요. 뭔가 오늘 하루가 이상한 것 같기는 한데…."

"이별은 아무 말도 없이 조용히 찾아오는 것 같아. 갑자기 그러잖아. 그래서 더 힘들고 안타까운 것 같고. 더 상처받고."

"그건 맞는 것 같아요. 그래서 견디기 힘든 상황이고, 누군가의 위로가 필요한 순간이 반드시 찾아오고 그래요."

"너도 이별을 겪었니?"

"어렸을 때, 아버지요. 뇌출혈이었어요. 너무 옛날이라 아버지 얼굴도 기억이 안 나고 그러는데 사진만 보면 눈물이 나요. 선배님은요?"

"나는…. 언제인지는 얘기 안 할 건데, 학교에 가서 열심히 공부하고 있는데 갑자기 그런 연락이 오더라고, 어머니가 위급하다고, 막 헐레벌떡 뛰어가는데 지금까지 있던 일이 주마등처럼 빠르게 지나가고 그랬지. 내가 죽는 게 아니었는데 막 필름이 지나가는 것처럼 지나갔는데, 그때까지는 설마 하는 마음으로 갔고, 병원에 도착했지. 근데 내 이름을 들은 직원의 표정이 굳어지더라고. 뭐 그 뒤 상황은 다 알겠지."

하영은 빗자루로 바닥을 쓸다가 카페 한가운데서 멈췄다. 태진은 그녀를 보고 하영에게도 힘든 일이 있음을 눈치채고 서둘러 말했다.

"선배님, 정리는 제가 할 테니까. 가서 쉬세요. 저는 여기 근처에서 친구를 만나기로 해서 조금 있어야 하니까 먼저 퇴근하세요."

하영은 고개를 천천히 들더니 태진을 매섭게 쳐다보았다.

"너 말이야. 지금까지 일하면서 친구 얘기는 단 한 번도 안 꺼냈거든? 거짓말을 할 거면 잘 해봐."

"선배님한테 배워서 그래요. 거짓말을 못하는 선배님한테요."

태진의 방법이 통했는지 하영은 웃으며 태진에게 장난쳤다. 고작 이런 말장난으로 그 기억을 잊지는 못하겠지만 잠깐은 편히 있으면 좋겠다고 생각했다. 이게 태진이 하영을 위로하는 방법이었다. 하영의 장난을 유도하는 것. 그는 조금 힘들겠지만, 하영의 말장난을 듣고 있으면 친누나 같은 느낌이 나서 태진도 편했다.

장난을 치다 보니 청소가 금방 끝났고 둘은 카페 문을 닫고 서로에게 작별 인사를 하며 하루를 마무리하고 각자의 집으로 돌아갔다.

하영은 집에 들어가자마자 책상에 앉아 엎드리고는 훌쩍이며 중얼거렸다.

"왜 내 옆의 자리는 계속 비어있는 걸까. 엄마, 아주머니. 대체 왜 떠나신 거예요?"

하영은 오랜만에 흐르는 눈물에 깜짝 놀라며 휴지로 재빠르게 눈물을 닦았다. 휴지는 눈물에 젖어 찢어지는데 눈물은 멈추지 않았다.

"안 돼. 하영아, 울지 않기로 했잖아. 울지 않기로 했는데, 왜 우는 거야. 나 때문이었잖아. 내가 그래서…."

하영은 자신에게 책임을 돌리지 말라고 오늘 왔었던 여자 손님한테 얘기했었는데 정작 하영은 자책하고 있었다. 하지만 눈앞에 있는 커다란 고통에 눈이 먼 것처럼 아무것도 보이지 않았다. 마음이 두 동강이 난 것처럼 아무것도 느끼지 못했다. 그저 하염없이 눈물만 흘릴 뿐이었다. 갑자기 몰려오는 피로에 정신을 차리지 못하고 잠이 들었다.

잠에 깊이 들어있던 하영을 깨운 것은 토요일 아침의 새소리였다. 토요일은 카페가 늦게 문을 여는 날이었기에 급하게 나갈 준비를 하지 않아도 괜찮았지만, 그녀는 서둘러 나갈 준비를 하고 공원으로 나섰다. 바로 옆 카페 사장님의 마지막을 배웅하기 위해서였다. 하영이 서둘러 공원에 도착하니 사장님들이 모여 얘기를 하고 있었다. 하영은 사장님을 보자마자 꼭 껴안았다. 그리고 건강을 빌어주었다. 토요일의 아침 공기는 포근했기에 더 많은 얘기를 하고 싶었지만 바빠 보이는 모습에 일을 도와주며 사장님의 마지막 모습을 눈에 담았다.

5

다섯 번째 위로,
그대의 빈자리는 아직도

하영의 두 뺨에는 뜨거운 눈물이 흘렀다.
다시 공원에 나가 운다면 그녀가 여기 계속 있어 줄까.
다시 빈자리가 생긴다면 이제 누가 그 자리를 채워줄까.
온갖 걱정으로 감싸져 있던 하영에게
아주머니가 따뜻한 포옹을 했다.

나무 위 새들은 지저귀고 그 아름다운 노랫소리에 하영은 여느 때와 같이 책가방을 메고 등교하고 있었다. 늘 만나는 친구들과 늘 보는 풍경, 지루하지는 않지만 그렇다고 새롭지도 않았다. 어제까지 공부를 열심히 했는지 눈에는 기운이 없어 보였고 허리는 곧게 펴질 못했다.

뒤를 돌아보니 하영의 친구가 달려오고 있었다. 저 멀리서 어떻게 하영을 알아봤는지 후다닥 달려와 하영의 어깨를 툭 쳤다.

"하영아, 오늘은 어때?"

"너 또 밤새웠어? 그렇게 공부 안 해도 된다니까?"

"내가 하고 싶어서 하는 거야. 알잖아. 나 못 말리는 거."

"그제는 수업 듣다가 코피도 났잖아. 공부는 좋은데 네 몸을 막 굴리지는 말아야지. 지식보다는 건강이야."

"그러니까 네가 공부를 못한다는 소리를 듣는 거야."

둘은 화기애애한 분위기를 유지하며 교문을 들어섰다. 넓은 운동장을 지나 기다란 복도를 지나서 교실로 들어서자 시끄러운 대화 소리로 가득하니 아침의 시작을 알리는 소리 같았다.

담임 선생님의 조회는 매번 똑같았다. 공부 열심히 해서 좋은 대학에 가야 한다는 말만 반복했다. 하영은 그 말을 믿고서 오늘의 공부도 게을리 하지 않겠다고 다짐했다. 하지만 그 다짐은 갑자기 찾아온 커다란 충격에 산산이 깨져버렸다.

"3학년 2반의 유하영. 3학년 2반의 유하영. 위 학생은 교무실로 오세요. 교무실로 오세요."

2교시를 하던 중 들리는 방송에 하영은 교무실로 갔다. 아마 성적에 대해 담임 선생님과 얘기하는 시간이 다가온 것 같았다. 교무실 문을 열었는데 하영이 생각하는 분위기와는 다른 분위기가 공간을 감싸고 있었다. 무언가 차가우면서도 분주한 분위기에 하영은 들어가기를 머뭇 거렸다. 담임 선생님이 하영을 발견하곤 상담실로 그녀를 데리고 갔다.

"하영아. 잘 들어라. 병원에서 너희 어머니께서 위급하시다는 연락이 왔다. 어서 조퇴하고 어머니께 가 봐라."

하영은 덜컥 마음이 내려앉았다. 아침까지도 멀쩡하셨던 어머니가 위급하다는 말은 믿기 힘든 거짓말 같았다. 혹시 다른 학생과 헷갈린 것이 아닐까도 생각해 봤지만, 병원과 학교에서 그런 실수를 할 리는 없었다. 하영은 상담실을 나와 어떤 선생님도 쳐다보지 못하고 교무실을 나와 아침에 걸었던 복도를 뛰어가 교실로 들어갔다. 친구들의 시선이 하영에게 몰렸지만, 하영은 신경 쓸 겨를이 없었다. 얼른 가방을 챙겨 도망치듯 나오고 다시 복도, 운동장, 교문을 재빠르게 지나갔다. 아침에 시끄럽게 떠들던 새들은 온데간데없이 조용했고 하영의 심장 소리만이 들릴 뿐이었다.

"아닐 거야. 아닐 거야. 아니어야만 해."

병원에 가까워질수록 하영의 심장도 더 크게 뛰었다. 마치 주변 사람들 도 그녀의 심장 소리를 들을 수 있을 정도였다. 병원에 들어선 하영은 직원에게 어머니의 위치를 물어보려 했지만, 입가에 풀을 칠한 것처럼 입이 열리지 않았다. 겨우 입을 열어 직원에게 물어봤다.

"저, 제 이름은 유하영인데요. 학교에 연락이 왔다고 해서 왔어요."

하영의 말이 끝나자, 직원의 표정이 굳어지더니 하영에게 잠깐 기다리 라는 말을 했다. 하영은 그 말을 듣고 가슴을 졸이며 기다릴 수밖에 없었다.

"아, 하영 양 맞나요?"

흰 가운을 입은 의사가 하영에게 다가와 이름을 물었다. 하영이 고개를 끄덕이자, 의사는 고개를 숙이고 그녀의 어깨를 토닥였다.

"이미 너무 늦었습니다. 늦어서 죄송합니다."

하영은 자신이 즐겨보던 드라마의 대사가 자신에게 들리자, 심장이 뛰지 않는 것처럼 느껴졌다. 그렇게 두근거리던 심장이 멈춘 게 아니라 감쪽같이 사라진 것 같았다.

"아니죠? 우리 엄마 얘기하는 거 아니죠? 진짜 아닌 거죠?"

고등학교 3학년의 어린 소녀가 듣기에는 거짓말처럼 들릴 말이었다. 떨리는 손을 주체할 수 없어 주머니에 찔러 넣었지만, 주머니에 구멍이 생길 정도로 떨렸다.

화재. 하영의 집이 있던 5층짜리 빌라에 불이 났다고 했다. 하영의 엄마는 2층에 있어서 금방 나올 수 있었지만, 다른 사람들이 나올 수 있도록 도와주느라 연기를 마셨고 소방대원이 그녀를 발견했을 때는 4층에 있었다고 전했다. 하영은 그을린 빌라 앞에서 우는 것밖에 할 수가 없었다. 사람들이 쳐다보아도 이 공간에 혼자 있는 것처럼 목 놓아 우는 게 끝이었다. 그녀 덕분에 화재의 피해자는 그녀 자신뿐이었지만, 하영에게 그녀의 소식은 최악의 결과였다.

"엄마, 이게 무슨 소리야. 그냥 나오지 그랬어. 그냥…."

엄마는 같은 빌라뿐만 아니라 동네에서 모르는 사람이 없을 정도로 친절한 사람이었다. 그 친절함이 이렇게 덫이 될 줄은 아무도 몰랐을 테다.

다음 주가 되었고, 하영은 진정되지 않은 퉁퉁 부은 얼굴로 등교하자마자 교무실로 들어갔다.

"하영아, 일단은 너희 부모님이 아프다는 말로 둘러댔어. 그러니까 그렇게 알고 애들한테 얘기해."

"왜 거짓말을 해야 해요? 엄마는 돌아가셨어요. 아빠는 옛날에 떠나셨고요. 제 곁에 있는 사람들이 다 떠났는데 왜 거짓말을 하고 그래야 해요?"

"그게…, 애들이 아마 물어볼 거야. 네가 갑자기 나갔으니까. 그런데 사실대로 얘기하면 분명 놀릴 애들이 있을 거고…."

"학교 안 나올래요. 더는 못 버틸 것 같아요. 그러니까 제발…."

하영이는 그렇게 학교에 나가지 않고 매일 집 근처 공원을 걸었다.

봄의 정원. 하지만 지금은 여름이었기에 흩날리는 벚꽃잎을 볼 수 없었다.

"여기가 치유의 공원이라고? 네가 내 마음 알아? 아냐고! 나 정말로 힘든데 네가 뭘 해줄 수 있냐고!"

하영은 두 주먹을 불끈 쥐고 허공을 휘저었다. 그녀에게 아무것도 할 수 없다는 무력함은 그녀의 몸과 마음을 옥죄고 있었다. 사람들은 이곳에 왔다가 마음의 상처가 나아서 왔다고 했지만, 하영에게는 아무런 효과가 없었다. 위로는커녕 마음을 더 복잡하게 만들었다.

"넌 아무것도 못 해줘. 나한테 해줄 수 있는 게 있어? 공원인 네가 내 등을 토닥이고 내 고통을 덜어줄 수 있냐고, 그러면서 네가 왜 치유의 공원이야."

하영은 그 자리에 털썩 주저앉아 울음을 터뜨렸다. 억울함과 우울함,

분노와 죄책감. 그 모든 감정이 섞인 눈물은 닦아도 닦아도 지워지지 않았고 저녁이 되어도 눈물은 멈추지 않았다. 옷이 눈물에 젖어 축축해져도 끝이 없었다.

"저기, 학생. 괜찮아?"

하영이 훌쩍이며 고개를 들어보니 한 아주머니가 있었다. 그녀를 안쓰럽게 보고 있었다.

"내가 계속 봤는데, 무슨 일이 있어?"

"괜찮아요."

마음에도 없는 소리였다. 괜찮았으면 몇 시간 동안 울지도 않았을 텐데 누가 들어도 뻔한 거짓말이었다.

"학생. 여기 있지 말고 저기 카페로 가자. 내가 저기 카페 사장인데, 가서 음료수 한 잔 줄게."

하영은 그 말을 듣고도 울음을 그치지 못했다. 다리는 땅에 붙은 듯 움직일 수가 없었고, 온몸에 있던 슬픔을 뱉어낸 듯 힘이 없었다.

"학생, 내가 일으켜 줄게. 자, 영차!"

아주머니는 하영을 일으켜 옆에 있던 벤치에 앉혔다.

"아이고, 옷도 다 젖고, 꼴이 이게 뭐야. 기다려 봐."

아주머니는 카페로 달려갔다. 그리고 짧은 시간이 흐르고 물 한 잔과 얇은 담요를 가지고 왔다.

"자, 물 좀 마시고 여름이라지만 아직 저녁은 쌀쌀해. 담요도 가지고 왔어."

하영은 아주머니에게서 자신의 엄마를 보았다. 똑같은 친절함. 그리고 그 친절함은 다시 그리움의 눈물을 흐르게 했다.

"무슨 일인지는 묻지 않을게. 우리 카페로 가자. 어차피 마감해서 나 혼자밖에 없어. 걱정하지 말고 가자."

하영은 그녀의 손에 이끌려 카페로 들어갔다. 카페는 작았지만 있을 건 다 있었다. 하영은 창가 쪽 자리에 앉아 분주히 움직이는 아주머니를 보았다. 그리고 하영을 보더니 자리의 맞은편에 앉아 하영에게 물었다.

"미안, 옷이 있나 찾아봤었어. 없네. 그래서 집은 어디야?"

"없어요. 불이 나서…."

"불? 설마 얼마 전에 불이 난 빌라인가? 어떡하니."

하영은 처음 본 아주머니에게 지금의 이야기를 천천히 풀었다. 자신의 고통을 얘기하고 싶지는 않았지만, 아주머니를 보니 입이 가만히 있지를 못했다. 누구라도 좋으니 우울한 감정을 알아챘으면 좋겠다는 작은 소원에서 비롯된 대화의 시작이었다.

"아이고, 그런 일이 있었구나. 흠. 그럼 갈 곳이 없겠구나."

"네. 일단은 모텔을 갈 돈은 있어서…."

"우리 카페에서 잘래? 저기 다용도실이라고 있는데 거기에 간이침대가 있어. 거기서 자. 돈도 없는데 그런 곳에 가서 어떡하려고."

하영은 아주머니의 제안에 멈추었던 가슴이 다시 뛰기 시작했다. 아직 미약한 박동이지만 분명 뛰고 있었다.

"괜찮아요. 저 때문에 아주머니가 불편하실 필요는 없어요."

"아니, 네가 여기서 안 자는 게 더 불편하게 느껴져. 그러니까 사양하지 말고 자. 학교는 여기서 가깝니?"

아주머니의 선의는 여기서 그치지 않았다. 하영이 원래의 삶을 살수 있도록 필요한 모든 것들을 지원해 주겠다고 했다. 하영은 이런 친절함에 오히려 반감이 생겼다.

"괜찮아요. 저한테 이러실 필요 없어요. 제발 이러지 마세요."

"아니, 나는 학생이 행복했으면 좋겠어. 하고 싶은 걸 누리면서 말이야. 그리고 학생도 나중에 도움이 필요한 사람들을 도와줘."

"저한테 왜 이렇게 친절하신 거예요? 제가 뭐라고."

"나는 여기에 오는 사람 중에 힘든 사람들이 있다는 거를 알고서 도와주기 위해 여기에 카페를 차렸어. 장사는 안되지만 한 사람이라도 행복해지는 모습을 보며 나도 행복해지는 거지."

하영은 아주머니의 말에 처음으로 위로를 배웠다. 아무리 공부를 많이 한 하영이지만 처음으로 배우는 감정이었다. 그 감정과 따뜻함은 어디서도 느낀 적이 없었다. 하영에게 지금의 공간은 그냥 카페가 아니었다. 마음을 편안하게 만들어 주는 공간처럼 느껴졌다. 편안함을 느끼자 떨리던 손은 멈추었고 심장은 원래대로 뛰기 시작했다. 온몸에 온기가 차오르는 기분이 들었으며, 더는 눈물이 흐르지 않았다.

"감사해요. 제가 어떻게 보답해야 할지."

"그냥 웃어줘. 장난도 치고, 농담도 하고 그리고 나중에 다른 사람들을 도와줘. 그거면 되니까."

대가 없는 친절. 하영에겐 가장 가까우면서도 가장 먼 단어였다. 모두에게 나누는 것을 좋아하던 엄마가 있었지만, 하영은 그러질 못했다. 가진 것도 없는 사람이 나누는 것을 좋아하니 좋게 바라볼 수는 없었다. 그래서 하영은 대가를 받아왔다. 거래는 반드시 정가로 했으며, 무엇이든 정확한 계산을 하며 살아왔다. 그런 삶에 만족하며 살았지만, 지금에 와서는 후회될 행동들뿐이었다. 하영은 위로가 필요했지만, 그들에게 대가로 줄 만한 것이 없었다. 아무것도 없는 그녀에게 친절을 베풀어 줄 사람은 없었다. 하지만 카페 아주머니는 그런 하영에게 무한한 친절을 베풀었다. 어찌 보면 엄마와 비슷한 존재였다. 하영은 그런 아주머니를 만족하게 하려고 열심히 살기로 다짐했다. 학교도 열심히 다니고 공부도 열심히 하며 친구도 사귀며 아주머니에게 해가 되지 않도록 살았다.

"벌써 11월이네."

날씨가 쌀쌀해지며 가을에서 겨울로 넘어가는 계절이었다. 대학 진학이라는 문턱 앞에 서 있는 하영은 모든 순간이 걱정되었다. 어느 대학으로 가야 자신의 미래가 반듯할지 걱정되었다.

"왜 이렇게 힘든 표정이야? 웃으라니까."

아주머니가 하영에게 따뜻한 녹차를 건네주며 물었다. 하영은 대학 진학이 아주머니께 드리는 선물처럼 느껴지길 바랐으며 그동안의 친절함에 보답하고 싶었다.

"제가 어디로 가야 할까요? 어느 대학에 아주머니가 만족하실지…."

"너만 만족하면 되지. 하영아. 네 길은 네가 정하는 거야. 남을 만족하게 할 필요는 없어. 너는 남이 명령어를 입력해 주는 로봇이 아니야."

"그래도 너무 감사해서…."

"아니, 나는 이런 걸 바란 적 없어. 지금까지 잘 해왔잖아. 네 길을 잘 걸어왔잖아. 그런데 그 중요한 지점에 서서 나한테 물어보면 어떡해. 앞을 잘 봐. 네 길이니까."

하영은 그 말에 자신이 원하는 대학에 가기로 마음을 굳혔다. 아주머니는 하영의 등을 토닥이며 위로해 주었다.

"나는 네가 길에서 넘어질 때, 일으켜 주는 사람이야. 네 길을 정해주는 사람이 아니지. 네가 걷다가 넘어졌을 때, 약을 발라주는 사람이지. 너에게 이래라저래라하는 사람이 아니란 말이야."

길에서 넘어졌을 때, 일으켜 주는 사람. 하영은 아주머니의 말을 가슴에 새겼다. 그런 사람이 되겠다고, 꼭 되어서 많은 사람의 상처를 낫게 해주리라고 약속했다.

"하영아. 내 말 잊지 말고, 매번 기억하며 살아."

하영에게 대학 진학은 식은 죽 먹기였다. 높은 장벽의 학교 대신 가고 싶은 학교를 골랐기에 가능한 일이었다. 학업에 스트레스를 받지 않았으며, 모든 게 완벽했다. 그녀를 위해 만들어진 학교 같았다. 하지만 일상이 행복하지는 않았다. 아주머니는 몸이 안 좋아져 더는 카페 운영을 할 수 없을 정도였다.

"예전엔 밤까지도 거뜬했는데, 이게 뭐라니. 하영아, 나도 나이를 먹나 봐."

"아니에요. 걱정하지 마세요. 제가 도와드릴게요."

"하영아, 나랑 한 약속 안 잊었지?"

"네, 당연하죠."

하영의 말에 아주머니는 그녀가 뿌듯하게 느껴졌는지 웃기만 했다. 아주머니의 반응에 하영은 대체 무슨 말을 할지 궁금했다.

"하하, 그래. 이 카페. 내 마지막 선물이야."

"네, 마지막 선물이요?"

"여기는 내 꿈이자, 네 집이잖니. 여길 어떻게 허물겠어. 이젠 네가 사람들을 일으켜 줄 차례야."

"아니요, 제가 도와드리면서 같이 해요. 같이 하면 괜찮을 수도 있잖아요."

"난 이제 오히려 짐이야. 너한테 알려줄 거 다 알려주고 아무것도 남지 않은 허물이지. 언제까지 아줌마 뒤치다꺼리나 하고 살 거니?"

"제발. 떠나지 마세요. 제발."

"하영아, 네 마음 알아. 나도 최대한 버티려고 했는데, 세월이 만만하지는 않네."

"아주머니, 제발."

하영의 손이 오랜만에 떨렸다. 심장은 빠르게 뛰고 그녀의 머릿속은 복잡하게 얽혀 어떤 생각도 들지 않았다. 엄마의 자리가 공석이 된 지 얼마나 지났다고 아주머니까지 그녀를 떠나는 건지 답답할 뿐이었다.

"제발, 제 옆에 있어 주세요. 다시는 빈자리가 생기지 않았으면 좋겠어요. 그러니까 제발, 있어 주세요."

하영의 말이 터무니없는 얘기인 건 그녀도 알고 있었다. 수명이란 게 존재하는 사람에게 옆에 계속 있어 달라는 건 이루어질 수 없는 부탁이었다. 하지만 하영에게 있어 한 개의 빈자리도 겨우 채웠는데, 두 개의 빈자리는 다시 채워질 수 없는 자리임을 알기에 이렇게 애원하는 것이었다.

"하영아. 내가 얘기했지. 나는 너를 일으켜 주는 사람이라고. 너는 이제 넘어져도 일어날 수 있잖아. 그렇게 공원에서 울던 아이가 아니잖니. 넘어지지도 않는 사람 옆에 계속 붙어 있는 건 방해만 될 뿐이야."

"하지만…."

하영의 두 뺨에는 뜨거운 눈물이 흘렀다. 다시 공원에 나가 운다면 그녀가 여기 계속 있어 줄까. 다시 빈자리가 생긴다면 이제 누가 그 자리를 채워줄까. 온갖 걱정으로 감싸져 있던 하영에게 아주머니가 따뜻한 포옹을 했다.

"너는 할 수 있어. 빈자리는 걱정하지 말고, 너를 생각해. 지금까지 잘 해왔잖아. 유하영. 나랑 한 약속 지켜야 해."

하영에게 이별은 익숙해지지 않는 것이었다. 물론 떠나는 사람도 마음이 편하지는 않을 테다. 이미 마음 한구석에 상처를 입은 소녀를 두고 떠난다는 것은 소녀의 상처가 벌어질 수 있음을 알고 있는 그녀였기에 하영을 몇 시간이 지나도록 안아주었다. 하영은 훌쩍이는 모습으로 아주머니께 물었다.

"언제 떠나시나요?"

"조만간. 우리 아들이 나랑 여행 한 번 가자고 해서. 가기 전에 싹 정리하고 다녀와야지."

"꼭 오실 거죠? 여행 갔다가 오실 거죠?"

"그래. 우리 하영이 좋아하는 선물 사 와야지."

그날 밤. 하영은 잠을 잘 수가 없었다. 그녀의 빈자리는 너무나도 크게 느껴질 것이었고, 마음이 너무 쓰라렸다. 잠을 자고 싶어도 쓰라린 마음에서 느껴지는 고통에 눈을 감을 수가 없었다. 언제 떠날지. 간다면 무슨 말을 해야 할지. 머릿속은 정리가 되지 않았고 심장은 뛰는 속도가 늦어지기 시작했다. 매일 밤이 그렇게 길었지만, 오늘 밤은 짧았다. 아침이 되자 문 열리는 소리가 들렸고 하영은 문소리에 벌떡 일어나 들어오는 아주머니를 안았다. 하지만 포옹과 동시에 심장이 멈추었다. 아주머니의 옆에는 키가 큰 남자가 캐리어를 옆에 두고 서 있었다.

"하영아. 미안하다. 날이 이렇게 빨리 올 줄은 몰랐네."

"아주머니, 이게 무슨 일이에요?"

아주머니가 상황을 설명할 것처럼 입을 벌렸지만, 옆에 서 있던 남자가 아주머니의 어깨를 툭툭 건드렸다. 둘은 작은 소리로 얘기하더니 곧 하영에게 눈을 돌렸다.

"네가 하영이구나. 엄마한테 얘기 많이 들었어. 혹시 같이 나가서 얘기 좀 할까? 엄마는 여기 의자에 앉아 계세요."

하영은 그를 따라가기 싫었다. 하지만 반드시 그 얘기를 들어야 마음이 편해지지 않을까 생각되었다. 둘은 테라스 난간에 말없이 기대고 있었다. 남자는 한숨을 계속 쉬다가 말했다.

"어머니께서 몸이 안 좋아지셨어. 병원에 가보니 암 말기래. 유방암 말기."

"네? 그게 무슨?"

"어머니가 말을 안 하신 거야. 계속 병원에 가자고 했는데 자기는 여기에 꼭 있어야 한다고. 약 좀만 먹으면 나을 거라고 얘기하셨지. 그래도 내가 모시고 갔어야 했는데, 고집이 세시니 뭘 할 수가 있어야지."

"아주머니는 건강하셨어요. 나이가 들어서 그렇다고 저한테…"

"너한텐 그랬겠지. 어머니한테 들었어. 너한테 커다란 상처가 있다고 뭔지 자세히는 얘기 안 해줬지만, 자신이 아니면 너를 보듬어 줄 사람이 없다고 하셨어. 자기 딸 같다고 말이야."

하영은 믿을 수가 없었다. 나이 때문이라고 얘기하던 아주머니가 암이라니, 하영의 상처를 보듬어 주느라 자신에게는 그 어떤 것도 괜찮다고 하신 아주머니가 미웠다. 거짓말이었다. 선의의 거짓말. 떠나겠다고 말하고서 바로 다음 날 아침에 이런 모습으로 찾아온 것에 배신감까지 느껴졌다. 지금이라도 아주머니께 뭐라고 하고 싶었지만, 떨리는 손은 테라스의 난간조차 잡기 어려웠다. 남자는 주머니에서 담배를 꺼내더니 공원으로 가고 하영은 문을 겨우 열고 아주머니께 다가갔다. 그리고 그녀 앞에 털썩 주저앉아 울기 시작했다. 처음에는 아주머니가 미워서 흐르는 눈물이었지만 나중에 흐르면 흐를수록 자신을 탓하는 눈물로 바뀌었다. 아주머니는 아무 말도 없이 하영의 등을 토닥였다. 하지만 그 토닥임은 더 많은 눈물을 흐르게 했다.

"미안하다. 하영아. 정말 미안하다."

아주머니가 미안해할 일은 아니었지만, 하영에게 눈물의 원인이 누구인지에 대해 따질 시간은 없었다. 갑작스러운 이별에 누가 원인을 따지고 있겠는가. 아주머니는 눈물이 없는 고통을 하영은 눈물로 가득한 고통을 느끼고 있을 뿐이었다.

"선배님, 선배님!"

하영의 앞에는 태진이 앉아있었다. 그는 하영의 눈앞에 손을 휘적이며 큰 소리로 불러댔다. 하영이 잠시 과거 생각을 했다고 생각했는데, 잠시가 아니었던 탓이었다. 태진이 무슨 생각을 하길래 정신이 쏙 빠진 채로 있냐고 물었지만, 하영은 옛날 생각이라며 그에게 과거를 철저히 숨겼다. 태진은 이어서 손을 왜 떠냐고 물었고, 하영의 손은 작긴 했지만 떨고 있었다. 하영은 다른 손으로 떨리는 손을 낚아채 앞치마의 주머니로 감췄다. 태진은 그녀의 행동이 이해되지 않는다는 표정으로 그녀를 바라보았다.

"왜 이렇게 빤히 쳐다 봐? 괜찮아."

하영은 괜찮다고 했지만, 전혀 괜찮지 않았다. 식은땀도 흘렀고, 뺨도 붉어졌다. 누가 봐도 아픈 사람 같았고, 태진도 걱정스러운 말투로 계속 괜찮은지 물어봤다.

"괜찮은지 물어보기 전에 청소나 해. 벌써 어두워졌네."

"청소는 아까 다 했어요. 선배님이 창밖을 바라보면서 손 덜덜 떨고 계실 때 말이에요."

"손 안 떨었다니까? 자꾸 고집부릴래?"

하영의 손이 더는 떨리지 않자 다시 앞치마에서 꺼내 탁자 위에 자연스럽게 올려두었다. 그녀의 손 옆에는 다 식은 녹차가 있었다.

"내가 녹차 달라고 했었어?"

"아까 달라고 했잖아요. 기억 안 나세요? 저기 청소하고 있는데 녹차 달라고 하셔서 드렸잖아요. 선배님, 오늘 좀 이상해요."

"내가 지금 정신이 없어서 그래. 사장이라는 직책이 편한 줄 아니?"

"에이, 선배님만큼 편한 사장이 어디 있다고요. 그럼, 아!"

"아주 그냥 매를 벌어요. 내가 그렇게 얘기하면 알겠다고 하고 넘어가면 되는데, 그게 어렵니?"

"그만 때려요. 저의 좋은 아이큐 내려가잖아요."

"으휴, 좋았으면 이런 말은 하지 말아야지."

하영은 다 식어서 조금 씁쓸한 녹차를 한입에 다 마시고 다시 창밖을 보았다. 공원에 있는 한 벤치를 보았다. 가로등이 옆을 지키고 있는 벤치였다. 그때처럼 가로등의 불빛이 꺼져있어 벤치의 모습이 잘 보이지는 않았다.

"나 바깥에 좀 나갈 건데, 같이 나갈래? 같이 나갈 거면 여기 문 일찍 닫고."

"그래도 돼요? 아직 6시인데요?"

"우리 카페에 저녁 손님이 온 적 있어? 없잖아. 뭘 새삼스럽게 그래?"

둘은 카페 문을 닫고 공원으로 나갔다. 공원에는 길고양이들과 산책하는 사람들밖에 없었다. 하영은 벤치에 앉아 카페를 바라보았다. 그때처럼 조그만 카페였다. 하지만 옆의 카페들은 많이 바뀐 모습에 조금은 어색함이 느껴졌다. 태진은 그녀의 옆에 앉아 그녀가 무슨 생각을 하는지 궁금해 했다.

"여긴 왜 오신 거예요? 주학 아저씨 생각이 나서 그래요?"

"그분도 생각나는데, 더 생각나는 분이 있어서. 그때도 지금이랑 비슷했어. 벚꽃이 다 지고 앙상한 나무가 있었지."

"그래요? 그나저나 이제 여름이네요. 더우면 손님도 잘 안 오시잖아요."

"우리가 언제는 손님이 많았니? 그냥 하는 거지."

둘의 대화는 한동안 이어졌고, 7시가 되어서 서로의 집으로 향했다.

"어, 안녕하세요. 처음 뵙겠습니다."

다음 날 아침이 되어서 카페 문을 열고 있는 태진에게 어떤 남자가 말을 걸었다. 키가 크고 훤칠하게 생겨서 어떤 배우를 닮은 것 같았다.

"누구세요?"

"아, 저는 저기 옆 카페의 사장인 백지환이라고 합니다. 혹시 성함이?"

"저는 '위로를 위해서'의 직원 김태진입니다. 새로 오셨네요."

"직원이시군요. 사장님은 아직이신가요?"

"아마 한 시간 정도 뒤에 오실 거예요."

"알겠습니다. 그럼 한 시간 정도 뒤에 가보겠습니다."

카페의 자리가 워낙 좋아서 금방 오겠다고 생각은 했지만 이렇게 금방 올 줄은 몰랐다. 그것도 여름에 오다니, 봄이 올 때까지 어떻게 버틸 수 있을지 걱정이 됐다.

"아마도 한 달 후면 카페 내놓는다고 걸어놓겠지. 나랑 나이대가 비슷하다고 느껴지는데, 안타깝네."

태진은 늘 하던 대로 아침 청소를 하고 하영을 기다렸다. 하지만 한 시간이 지나도 하영은 나타나지 않았다. 요즘 그녀의 행동이 수상했기에 그녀에게 무슨 일이 생긴 건지 걱정이 되었지만 그래도 늦잠을 잤다고 생각하기로 하고 청소를 마무리 지었다. 그러자 밖에서 여자의 대화 소리가 들렸다. 태진은 하영이 왔음을 눈치채고 맞이하러 밖으로 나갔다.

"선배님, 오셨어요?"

하영은 손가락으로 카페를 가리키며 새로운 사람이 왔는데, 인사는 했냐고 물었다. 태진은 바로 인사를 나눔과 동시에 성격도 괜찮은 사람 같다고 설명했다. 하영도 이에 동의하며 서로 호칭을 사장님이라고 정했다고 알려줬다.

"편하게 '백 사장님'이라고 불러 달래. 나도 '유 사장님'이라고 불러달라고 했어. 처음 본 사이인데 말도 잘하시고, 특히 웃을 때 보조개도 있으시고."

태진은 환기를 위해 문을 열고 밖의 메뉴판을 들었다. 하영이 계속 적어왔기에 태진이 오랜만에 적기로 했다. 하지만 좋은 아이디어가 떠오르지 않아 분필만 쳐다보고 있었다.

"뭐 하시고 계세요?"

지환이 짐을 옮기다가 태진에게 말을 걸었다. 태진은 메뉴판에 관해 설명했고, 그는 고개를 끄덕이며 그의 말을 들어주었다.

"흐음, 그렇군요. 여기는 되게 특이한 카페 같아요. 이름도 특이하고 규모는 작은데 수수하고. 약간 숨겨진 비밀의 장소 같아요."

"그래서 손님은 별로 없어요. 아마 거기 문 열면 사람들이 전부 거기로 갈 거예요. 전 사장님 계실 때도 거기는 인기였거든요."

"네, 기억하고 있을게요. 카페 정리만 하고 들를게요. 사장님하고 얘기도 하고 싶으니까요."

"네, 기다릴게요."

태진은 그와 몇 마디 조금 나누었지만 친절한 사람이라는 것은 당연한 것 같았다. 특히 하영이 얘기했던 보조개가 압권이었다. 뒤로 넘긴 머리에 큰 키, 보조개까지. 외국 사람이라고 해도 믿을 만했다.

"저기도 엄청 바쁘겠네. 사장님 보겠다고 막 몰려오겠다."

"그러게. 조각상 같지 않아?"

"깜짝이야, 선배님이 여기에 왜 계세요?"

"아니, 메뉴판 적으러 간다고 한 애가 안 들어오니까 그러지. 그래서 쓸 말 생각하다가 머리 아파서 쓰러진 줄 알았지."

"이거는 누워서 떡 먹기죠. 제가 써볼게요."

태진은 메뉴판을 들고 구석으로 가 분필로 지휘자처럼 이리저리 휘저었다. 열중한 것처럼 입은 삐죽 나오고 이마에는 땀이 흘렀다.

"누가 보면 장인처럼 보이겠네. 입 집어넣어. 네가 무슨 개미핥기야?"

그는 하영의 말이 들리지도 않는지 아무 반응도 없이 쓰고 지우기를 반복했다. 초록색의 메뉴판은 분홍색 가루로 뒤덮이고 진척이 없었다.

"이리 줘 봐. 이러면서 메뉴판을 쓴다고 해?"

하영이 구석에 있던 태진에게서 메뉴판을 낚아채서 쓰기 시작했다.

'오늘의 추천: 여름을 닮은 페퍼민트에 얼음 동동!'

태진은 메뉴판에 적혀있던 글을 보고 감탄을 금치 못했다. 결국 어떻게 이렇게 추천 메뉴를 단번에 쓰는지 물어봤다. 그러자 하영이 자신이 먹고 싶은 메뉴를 적을 뿐이라는 단순한 대답을 했다. 태진은 지금까지 그녀가 계절과 날씨를 생각하며 적은 줄 알았지만, 하영을 너무 어렵게 생각하고 있었다.

"세상 그렇게 어렵게 살아서 뭐 해. 추천 메뉴를 의심하는 사람 봤어?"

"그렇긴 한데. 그래도 뭔가 생각해서 쓰는 게 좋지 않을까요?"

"추천 메뉴에 불만 가진 분이 나타난다면 그렇게 할게. 물론 너 빼고."

그때, 지환이 머리를 살짝 다듬으며 둘에게 다가왔다. 엷은 미소는 얼굴에 자동으로 장착된 부품 같았다. 어떻게 매번 저 미소를 유지하고 있는지 궁금할 따름이었다.

"둘이 사이가 좋으시네요. 여기 오래 계셨나 봐요."

"아니에요. 이제 겨우 3년이에요. 다른 카페에 비하면 병아리 수준이에요."

"그 정도면 오래 계신 거죠. 1년도 안 돼서 폐업하는 곳도 많으니까요."

봄의 정원은 말 그대로 봄에만 사람이 넘치는 곳이었다. 그래서 그 기회를 엿보고 개업을 한 곳 중에서 봄이 끝나자, 폐업하는 곳도 많았다. 한 철만 장사하기에는 많은 돈이 들지만 그만큼 수익이 엄청나므로 개업한다. 그래서 여기에 남아있는 사장들은 돈에 욕심이 없는 분들이다. 사람이 없어도 봄에 벌어났던 수익으로 나머지 계절을 지나고 다시 봄을 맞이하는 카페들이었다. 하지만 이제 봄의 정원을 찾는 사람들이 예전에 비하면 줄었기 때문에 다른 계절에는 어떤 설정을 잡고 손님을 유치하는 방법을 쓰게 되었다.

"그런데 대단하네요. 이렇게 작은 카페가 3년이라니."

"아, 이곳은 지어진 지 10년은 넘었어요. 전 주인께서 지은 것 그대로 유지한 거라 조금 허름하긴 한데 그래도 이게 매력이죠."

"하하, 그렇군요. 저는 이런 곳에서 저랑 나이가 비슷하신 분이 사장님 이시길래 취향이 독특하다고 생각했거든요."

"여기서 있지 말고 안으로 들어갈까요? 서서 얘기하기에는 힘드니까요. 음료도 드릴게요, 좋아하시는 게 있으실까요?"

"저는 페퍼민트 부탁드릴게요. 여름과 닮은 페퍼민트라니, 마시고 싶어지네요."

셋은 카페 안쪽 책장 옆의 자리에 앉아서 음료를 마시며 얘기를 나누고 있었다.

"백 사장님은 어쩌다 여기에 개업하신 거예요?"

"카페를 한 번쯤은 하고 싶어서 마땅한 장소를 물색하고 있는데, 제 친구가 여기를 추천하더라고요. 마침 폐업한다는 곳이 있어서 왔죠. 운이 좋았다고 할게요."

"그럼 봄의 정원은 처음인가요?"

"아니에요. 몇 번 왔었어요. 여기가 치유의 공원이라고도 불린다 해서 부모님 모시고 왔었죠. 두 분 다 많이 아프셨었거든요."

"아, 그렇군요."

"그런데 이 근처 카페들은 다 가격이 싸더라고요. 저도 이런 마음으로 운영을 하고 싶었거든요. 다른 곳에 가서 이렇게 싸게 운영하면 다른 카페 사장님들한테 욕먹을 게 분명해요."

셋의 대화는 페퍼민트에 떠 있는 얼음처럼 끝나지 않았다. 나이가 비슷하기에 더 물어보고 싶은 마음도 있었지만, 하영은 요즘 계속 생각나는 빈자리에 대한 기억을 잊고 싶은 마음도 있었다. 계속 괜찮다고 삼켜 왔는데 더는 마음이 삼킬 수 없는지 뱉고 있었다. 하영은 그 마음을 태진에게는 들키고 싶지 않았기에 이제는 잊으려 온갖 노력을 하고 싶었다. 그 중 첫 번째가 새로운 사람과의 대화였다.

"아, 벌써 시간이 이렇게 됐군요."

백 사장이 손목시계로 시간을 보고는 벌떡 일어났다. 음료는 반도 마시지 못했을 정도로 이야기하는 데에 시간을 썼다. 하영은 그의 눈치를 보더니 음료를 플라스틱 컵에 담아 탁자 위에 놓았다. 백 사장은 음료를 집어 들고 잘 있으라는 것처럼 손을 흔들고는 카페를 나갔다.

6

여섯 번째 위로,
추억은 네 곁을 떠나지 않는다

그렇게 초여름 밤의 추억은 하영의 곁을 떠나지 않았고,
하영은 추억을 녹차에 넣어 마신 듯했다.
추억은 잊히는 게 아닌 바래지는 것이다.
하지만 하영의 추억은 절대로 바랠 수 없게 되었고
영원히 곁을 떠나지 않게 되었다.

지환이 카페를 나감과 동시에 노신사 한 분이 들어왔다. 노신사는 갈색의 중절모를 쓰고 나무로 된 지팡이를 짚고 계셨다. 태진은 그를 자리로 안내하고 메뉴를 물었다.

"여기도 꼭 음료를 마셔야 하나?"

노신사의 질문은 태진을 당혹게 했다. 음료를 주문하지 않는 손님이라니, 무슨 말을 해야 할지 몰랐다. 그때 하영이 노신사에게 다가왔다.

"어르신, 여기서 쉬었다 가세요. 다른 곳은 음료를 주문해야 있을 수 있다고 했죠? 저희는 주문 안 해도 되니까 쉬었다 가세요."

"아이고, 고맙네. 자리 차지해서 미안하지만 좀 쉬었다 가겠네."

노신사는 중절모를 벗어 옆 의자에 내려놓았다. 그리고 안주머니에서 손수건을 꺼내 땀을 닦았다. 지팡이는 탁자에 비스듬히 기대고 자기의 몸도 의자에 기대고 있었다.

"에어컨 틀어드릴까요? 많이 더우세요?"

"괜찮아. 나 때문에 그렇게까지 할 필요는 없네."

"아니에요. 낮이 되니까 저희도 조금 덥기도 해서요. 괜찮으시다면 틀어드릴게요."

"음료도 안 마시는데 이렇게 챙겨줄 필요는 없다네. 손님이라곤 나 한 명밖에 없는데, 전기세라도 아껴야지."

하영은 그에게 물이 든 유리잔을 드렸다.

"물은 무료예요. 더 드시고 싶으시다면 얘기해주세요."

"젊은이가 친절하네. 이거 고마워서 어떡하나."

하영은 싱긋 웃으며 태진에게 다가갔다. 태진은 백 사장의 음료가 들어있던 컵을 씻고 있었다. 노신사가 갑자기 밖의 누군가를 보더니 들어오라고 손짓했다.

"여기야, 여기!"

노신사의 목소리가 들리지는 않았겠지만, 그 사람은 어떻게 알았는지 카페로 뚜벅뚜벅 걸어왔다. 카페에 가까워지자 어떤 사람인지 보였다. 살짝 파마한 갈색 머리에 한쪽 귀에는 이어폰을 끼고 있었고 옷은 깔끔했다. 옆에는 베이지색의 에코백을 메고 있었다.

"아빠, 여기에 계셨네. 한참을 찾았잖아."

"공원에 있으려니 매미들이 조용히 있어야지. 요즘 매미들은 기차 화통을 삶아 먹고 그래."

그는 노신사의 옆에 있는 빈 유리컵을 보더니 하영에게 자신이 계산할 테니 음료의 가격을 알려달라고 이야기했다. 하영은 물을 한 잔 드린 것뿐이라며 손을 저었다. 노신사의 아들은 메뉴판을 훑어보더니 커피를 주문했다.

태진이 커피를 내리는 사이 노신사의 아들은 옆에 있던 의자를 꺼내고 앉았다. 그리고 가방에서 먼지가 가득한 보라색 앨범을 꺼냈다.

"아빠, 이거 맞지? 책장 구석에서 겨우 찾았어."

"그래, 이거야. 이 보라색 앨범."

"갑자기 이걸 왜 찾으시는 거야? 보고 싶으신 게 있어?"

"그냥 추억이 보고 싶어서 그러지. 옛날 일들이 좋았거든."

노신사는 물을 한 모금 마시고는 땀을 닦았다. 그의 이마에는 땀이 송골송골 맺혀있었다. 아들은 앨범의 첫 장을 열었고 노신사의 눈은 앨범의 모든 장을 훑어보기 시작했다. 얼마 지나지 않아 노신사는 앨범의 한구석을 손으로 가리키고는 물었다.

"이 사람이 누군지 알겠어?"

"글쎄. 되게 예쁜데, 나는 처음 봐."

"네 엄마다. 집에서 쉬고 있는 네 엄마. 그리고 이 옆에 잘생긴 사람 있잖아. 그게 나야."

"아빠가 오토바이를 몰았었어?"

"철없던 젊은 시절에 탔었지. 네 엄마를 뒤에 태우고 말이야."

"의외인데? 아빠는 나보고 오토바이 타지 말라며. 위험하다고."

"그러니까 철이 없을 때 탔다고 했잖아. 그때는 그게 멋이었어. 선글라스 끼고 막 달리는 게 남자들의 멋이었지."

둘의 대화는 과거와 현재를 계속 바뀌었다. 아들은 지금까지 아버지의 과거에 대해 궁금하지 않아서 한 번도 물어본 적이 없었으며, 아버지도 얘기한 적이 없었다. 둘은 가족이었지만 서로가 처음으로 전하는 이야기였다. 먼지가 쌓인 보라색의 앨범처럼 아버지의 입에서 나온 이야기에도 먼지가 쌓인 것처럼 텁텁했다.

"여기는 지금은 없어졌는데, 네 엄마가 좋아하던 식당이었어. 여기서 처음 데이트를 했거든."

"누가 먼저 고백했어? 아빠가?"

"당연하지. 여자가 먼저 고백하게 놔뒀겠니? 그러면 예의가 아니지."

노신사는 기억 속에서 흐려진 추억을 앨범에서 조금씩 꺼내 아들에게 얘기해 주었다. 앨범 속 사진은 바랬지만, 이야기는 바랜 흔적이 없었다. 바로 어제 일처럼 생생하고 지금 그 시절에 있는 것 같았다.

시간이 흐를수록 이야기는 더 짙어졌고 노신사의 말은 많아졌다. 오랜만에 카페가 대화 소리로 가득했다. 하영도 눈을 감으며 노신사의 얘기에 빠져있었다. 마치 자신의 아버지가 얘기해주는 것처럼 고개도 끄덕이며 경청하고 있었다.

"이 사진은 어디예요? 익숙한 곳인데."

"여기? 너 걸음마 뗐을 때 데리고 갔던 곳이야. 분수대 멋있지? 여기서 네가 막 울고 그래서 얼마나 힘들게 했는데."

말로는 힘들다고 했지만, 노신사의 얼굴에서는 미소가 떠나가질 않았다. 힘들었던 기억마저도 지금은 웃을 수 있는 추억으로 바뀌었고, 그 추억들을 아들에게 샅샅이 얘기하고 있었다.

"아빠, 그런데 왜 이걸 찾아달라고 한 거예요?"

"내 추억을 너한테 얘기하려고. 이런 앨범은 잃어버리거나 불에 타면 그만이야. 너한테 얘기하면 나중에 네 아들한테 할아버지는 어떤 사람이었다고 얘기하겠지."

"그러면 집에서 편하게 얘기하면 되는데, 왜 여기에 온 거예요?"

"이것도 추억이니까. 네가 일을 다니기 시작하면서 이런 데를 많이 안 왔잖니. 어릴 때는 내가 그렇게 데리고 다녔어. 아무리 피곤해도 네 눈동자를 보면 말똥말똥한 게 더 가고 싶다는 것 같았지. 그런데 네가 자라고 바쁘니까 너랑 추억 만들기도 거기서 멈췄지. 그래서 그랬어."

아버지와 아들 사이의 시간은 멈춰있었다. 둘에게 추억의 등장인물은 어린 아들과 젊은 아빠가 전부였다. 늙은 지금의 아빠와 다 자란 아들은 그 추억에 절대로 등장하지 않았다. 둘에게 시간이 없던 것은 아니었다. 하지만 각자의 시간을 보냈을 뿐이었다. 아버지의 시간과 아들의 시간이 갈라졌기에 아버지는 아들의 시간을 이해하지 못했고, 아들은 아버지의 시간을 이해하지 못했다. 결국엔 말다툼으로 이어진 기억은 그 어렸을 때의 추억을 찢고 검게 그을렸다.

'전에는 이랬는데, 지금은 왜 그럴까.'

서로의 시간을 이해하지 못했기 때문에 결국 찢어진 추억 속에 있던 서로를 생각하며 지금의 그들과 비교하고 있었다. 서로에게 상처만을 남기고 오래된 다툼은 둘의 사이를 벌렸다. 그리고 후에 이 시간을 탓하고 마음속에 새길 것이 분명했다. 아버지도 그랬다. 자신의 아버지와의 부족한 추억이 안타까웠고, 그 안타까움은 언제나 그를 따라다녔다. 그러다 아들이 세상에 나와 그 안타까움을 아들은 느끼지 않기를 바라고 추억을 만들기 위해 돌아다녔다. 하지만 이제는 아들의 시간이 부족했고, 둘의 시간이 멈춘 것이었다.

"미안해. 아빠. 난 그것도 모르고."
"모를 수밖에. 나도 몰랐으니까. 내 아버지한테 아직도 미안해. 공원을 좋아하셨거든. 날 데리고 공원에서 매미 잡고 가을엔 잠자리 잡고, 그러면서 놀았지. 그런데 어느 날부터 공원에 가기가 싫어졌어. 그래서 아버지한테 안 가겠다고 했지. 그래서 혼자 가셨고, 왜 공원을 매일 같이 가는지 궁금했어. 언젠가는 내가 따라 나오리라 생각하고 계셨던 거지. 그게 정말로 미안해. 아버지 묘만 보면 그게 막 떠올라. 그 공원의 매미 소리와 뛰어다니는 나한테 뛰지 말라고 하는 아버지 목소리가."
노신사는 말을 잇지 못했다. 땀을 닦던 손수건은 어느새 눈가를 향해 있었다. 그의 아들도 커피잔을 만지작거리며 아무 말도 하지 못했다. 하영과 태진도 그들의 이야기를 듣다가 고개를 숙이고 깊게 생각해보았다.

추억. 늘 곁을 따라다니는 단어였기에 우리에게 선물이 될 때가 많지만 가끔은 마음의 상처를 만들었다. 그 시절의 과거를 여행하는 좋은 주제이지만 어느 날엔 그 추억을 더 만들 수 있던 기회를 되짚으며 마음을 할퀴고 있다.

그들에게 잘못이 있다고 할 수는 없었다. 해야 할 것들을 하고 정신을 차리니 이미 시간이 많이 지난 것이었다. 아들이 잡았던 든든한 손은 어느새 주름투성이가 되었고, 아빠가 잡았던 고사리 같은 손은 커다란 손이 되었다. 그만큼의 시간이 흐르고서야 지금의 위치를 깨달은 것이다. 집에 있을 때는 몰랐지만 여기에서 이런 얘기를 해야 비로소 둘의 손이 보였다. 그들은 아무 말도 없이 손을 잡고 눈물을 흘렸다. 태진은 방해가 되지 않게 조용히 노신사의 물컵에 물을 더 부었고, 음악을 잔잔한 음악으로 바꿨다. 둘은 한참을 흐느끼고 눈을 떴다.

"죄송합니다. 사장님. 저희가 괜히 여기서 이런 얘기를 해서 불편하셨을 테죠. 죄송합니다."

"아니에요. 그 어느 때보다 뜻깊은 시간이었습니다. 그리고 이곳은 손님이 마음대로 하는 곳입니다. 언제든지 다시 와 주세요. 계속 기다리고 있겠습니다."

"맞아요. 여기에서 이상한 수다를 떠는 아줌마들과는 비교가 안 될 정도로 좋았습니다. 저도 어르신 덕분에 추억에 대해 더 생각할 수 있는 시간이었습니다. 죄송해하실 필요 없습니다."

"나중에 또 오겠습니다. 그동안 건강히 계세요."

"어르신도 건강하세요. 날이 너무 덥습니다. 부디 몸조심하시고 건강하세요."

하영은 카페 밖까지 나와 그들을 배웅해 주었다. 아들은 노신사의 손을 꼭 잡았고 노신사는 지팡이 대신 아들에게 살짝 기대어 길을 걸어갔다. 그들에게 조금이라도 좋은 추억이 되길 빌며 둘의 모습이 사라질 때까지 손을 흔들었다. 태진이 뒷정리를 하고 나와 하영에게 물었다.

"이것도 위로겠죠?"

"당연하지. 우리도 위로됐잖아."

"그러네요. 추억이라. 한 번 더 생각하게 만든 것 같아요."

"저런 어르신을 아버지로 둔 아들이라니, 모든 순간이 행복하겠지."

"저희가 손님한테 위로를 받은 건 몇 번 없었잖아요. 너무 좋아요."

하영은 기지개를 켜고 허리를 두드렸다. 그들의 이야기에 푹 빠져 앉는 것도 깜박하고 서 있던 것이 문제였다. 한 시간을 서 있었으니 다리도 살살 아프기 시작했다. 하영은 창가 쪽 자리에 앉아 그들에게 받은 영감을 추억이라는 단어와 함께 곱씹으며 깊은 생각에 빠져있었다. 뜻하지 않은 날에 찾아온, 뜻하지 않은 손님. '위로를 위해서'의 장점이었다. 어느 날에는 손님이 위로를 받고, 어느 날에는 직원이 위로를 받는 정말로 위로를 위한 공간이었다.

"선배님, 무슨 생각을 하세요?"

태진이 커피 두 잔을 들고 하영의 옆에 서 있었다. 커피를 탁자에 내려놓더니 하영의 맞은편에 앉았다. 커피에는 얼음이 동동 떠다녔고 유리잔은 물방울이 벽을 타고 내려오고 있었다.

"웬 커피? 달라고 안 했는데?"

"덥잖아요. 이제 여름인걸요."

"그래? 난 아직 그렇게 덥지는 않은데."

태진은 땀을 닦으며 커피를 한 모금 들이켰고, 얼음과 잔이 부딪치며 실로폰 소리를 내었다.

"여름만 되면 너무 더워요. 작년엔 진짜 어떻게 버텼는지 모르겠어요."

"뭐, 매년 겪는 여름인데 새삼스럽게 그래?"

"아니, 매년 겪어도 정도껏 해야죠. 지금도 더운데 한여름이 되면 진짜 가만히 있어도 땀이 나는 걸 어떡해요."

"그걸 나한테 얘기하면 뭐가 달라지니? 그냥 여름이라 생각하고 넘겨야지."

여름의 햇살은 태진을 오징어처럼 말리려고 작정한 듯 카페 안까지 침범했다. 그는 햇빛을 피해 다용도실의 문 앞에 섰다. 하지만 창가 자리의 하영은 아무렇지 않은 듯 자리를 피할 생각을 하지 않았다.

"자외선이 피부에 안 좋다는데 계속 거기 앉고 싶으세요?"

"난 이미 안 좋아졌어. 그리고 아침에 자외선 차단제 발라서 괜찮아."

햇빛은 불에 달군 칼을 이리저리 휘두르듯 사람들에게 여름이라는 계절이 왔다는 것을 새겼다. 봄을 잃은 봄의 정원에 뜨거운 햇볕까지 드리우니 사람은 코빼기도 보이지 않았다. 이대로면 '여름 회의'를 할 수도 있다는 생각에 하영은 한숨만 나왔다.

"이번엔 어떤 안건이 나올까. 말도 안 되는 것만 아니면 되겠다."

"꽃은 성공하지 않았어요? 사람들도 꽤 왔었고요."

"꽃은 무슨, 여름 되니까 다 말라버려서 버린 곳이 많잖아. 그러니까 꽃 관리하는 게 쉬운 줄 알았나 본데, 어려운 일이라고."

"그렇게 마음에 들지 않으시면 선배님이 아이디어라도 내보세요. 어떤 거라도 좋다고 하지 않을까요?"

"그게 싫어. 그럼 나보고 하라고 할 거 아니야? 나는 우리 카페 그대로가 좋다고. 이 카페는 절대 바뀌면 안 돼."

태진은 하영의 고집이 이해가 안 됐지만 어쩔 수 없었다. 고작 이 고집 하나 이해시키려고 자신의 슬픈 과거를 들출 필요는 없다고 생각했기 때문이었다. 그에게 자신의 고통을 얘기해 봤자 좋을 것은 하나도 없었다.

"아니면 추억 어떨까요? 요즘 말로 하자면 레트로 어때요?"

태진이 두 눈을 번뜩였다. 노신사와 아들의 이야기에서 착안한 주제였을 테지만, 하영은 관심이 없어 보였다.

"레트로?"

"네. 저희 카페는 오래됐으니까 손 볼 필요도 없고 다른 카페만 바꾸면 되잖아요."

"일 크게 만들지 마. 그리고 아직 회의는 정해진 게 아니니까 그냥 청소나 해."

"맨날 청소만 하라고 그러니까 하기 싫어지잖아요. 뭔가 다른 일이 있으면 좋겠어요."

그때, 문소리가 들리고 둘은 문으로 시선을 돌렸다. 키가 큰 남자. 하영은 자신의 두 눈을 의심했다. 남자는 안도의 한숨을 내쉬며 가슴을 쓸어내렸다.

"다행이다. 여기 그대로 있네."

그의 말에 하영은 온몸이 굳어 그대로 있었다. 태진이 그에게 자리를 안내하려고 했지만 남자는 고개를 저었다.

"하영아. 나 기억하지? 아주머니 아들."

"선배님, 이분을 아세요?"

하영은 돌처럼 굳어 아무 말도 하지 못했다. 생각지도 못한 일이 그녀의 눈앞에 벌어졌기 때문인지 아니면 다시 그 기억들이 떠오르는 것 때문인지 아무도 모르고 있었다. 남자는 손을 가만히 두지 못하고 문 앞에 계속 서 있었다.

"여긴 왜 오셨어요."

하영의 첫마디는 차갑다 못해 딱딱했다. 태진은 범상치 않은 분위기임을 감지하고 밖으로 나간다는 고갯짓을 하고 밖으로 나갔다. 남자는 그가 나가자 눈만 껌벅이고 있었다.

"여긴 왜 오셨냐고 물어보잖아요. 갑자기 여기는 왜…"

"엄마가 너에게 쓴 편지를 찾았거든."

"편지요?"

하영은 아주머니가 자신에게 썼다는 편지에 대해 아무것도 모르고 있었다. 편지를 썼다고 한 적도 없었고, 아주머니가 돌아가신지 몇 년이 지난 시점에서 그녀가 쓴 편지를 발견했다는 말은 믿기 힘들었다.

"갑자기 찾아온 건 미안해. 나도 한동안 엄마의 물건들을 못 치우고 있었거든. 그러다 마지막으로 방에 있던 작은 상자를 발견했는데, 그 안에 편지가 들어있더라고."

"그게 무슨 소리예요? 갑자기 찾아와서는 편지가 있다니요."

남자는 잠시 주변을 두리번거리더니 의자를 꺼내 앉고서는 무슨 일이 있었는지 천천히 얘기해주었다.

"엄마, 이제 어떻게 할 거야?"

"그러게. 많이 힘드네."

아주머니는 수척한 모습으로 침대에 누워있는 것이 끝이었다. 움직일 수도 없을 정도였다. 이미 다른 곳에 전이되어버린 암 때문에 손 쓸 도리는 없었다.

"그러니까 여행 가지 말고 항암치료 하자고 했잖아."

"치료비가 얼만데. 너 힘들게 하고 싶지 않으니까 그러지."

"그러면 애초에 아프다고 하고 병원에 가지 그랬어. 그게 날 힘들지 않게 하는 거지. 이렇게까지 될 때까지 뭘 하고 있었냐고."

"다른 아이의 고통을 덜어주었지. 그 아이는 나보다 더 아픈 아이였어. 내가 해 줄 수 있는 게 그것뿐이었어. 옆에서 보살펴 주는 거."

"그래, 그 아이 보살펴 주는 건 잘 했어. 그래도 몸이 안 좋다고 느꼈으면 그 아이를 계속 챙길 생각보다는 자기 몸 생각을 먼저 했어야지. 그래야 계속 보살펴 주지."

아주머니는 창문으로 밖을 바라보며 말을 하지 못했다. 남자는 아주머니의 손을 잡고 토닥이며 물었다. 그 이유를 알고 싶었다.

"내가 도와주겠다고 하고 얼마 안 지나 나도 떠나면 애가 이젠 누구를 믿겠어. 나를 믿고서 아픈 기억을 꺼냈는데 나까지 가버리면 애가 어쩌겠냐고."

"결국엔 이렇게 됐잖아. 그 애를 떠났잖아. 그러면서 무슨 소리를 하는 거야."

"그 아이를 위해 최대한 조용히 떠난 거야. 넌 이해하지 못할 거야."

"아니, 내가 이해하고 못 하고를 떠나서 얘기하자고."

"이젠 그 얘기는 그만하자."

"그 애는 어떡할 거야. 찾아갈 거야? 약속했다며. 선물 사 주기로."

"선물은 이미 줬어. 하영이가 발견할 때까지 기다려야지."

"그건 또 무슨 소리야? 선물을 숨겨놨어?"

"……."

"엄마. 난 아직도 엄마의 생각이 뭔지 이해가 안 돼. 아들이잖아. 무슨 생각을 하는지 정도는 알려줘야지."

"너한테도 계속 알려줬잖니. 하영이는 상처를 많이 입은 애라고."

"상처를 입었으면 병원에 데려가야지. 엄마가 계속 데리고 있었다고 나을 것 같아? 이렇게 해놓고 엄마가 죽으면 그 애는 오히려 역효과가 난다고."

"하영이는 이해할 거야. 내가 왜 이런 선택을 했는지. 너처럼 한 사람만 생각하는 아이가 아니란 말이지. 너는 지금 하영이만 생각하고 있잖아. 하지만 하영이는 달라. 나를 미워하겠지만 곧 다른 생각으로 다시 살아갈 거야. 내가 그렇게 살라고 얘기했어. 나와의 약속이라고."

남자는 아주머니의 굳은 마음에 결국 꼬리를 내렸다.

"엄마는 진짜 고집불통이야. 그 성격은 그 애가 안 배웠으면 좋겠다. 엄마는 다 좋은데 고집이 너무 세."

"그게 내 장점이지. 나도 힘들었어. 그런데 유독 우리 카페에 힘든 사람들이 많이 찾아오더라고. 규모가 작은 카페에 무슨 일이라고 막 찾아오는지 궁금했어. 그런데 위로가 됐다고 하더라. 난 얘기를 들어준 것뿐이었는데."

"엄마는 말하는 것보다 들어주는 걸 좋아했으니까."

"그래서 사람들이 오면서 위로를 해주는데, 그분들만 아니라 나도 위로를 받는 날들이 있더라고. 그 뒤로 여기는 절대로 허물지 않기로 다짐했지. 그동안 수많은 사람이 오갔지만, 그중에서 가장 기억에 남는 사람도 있어. 매일 공원에 오시던 분이었는데, 갈색 중절모를 좋아하시던 분이었어. 어느 계절에도 꼭 갈색 중절모에 나무로 만든 지팡이를 지고 다니는 분이었지. 요즘엔 잘 안 오시지만 그래도 아직도 생각이 나."

"나한테도 얘기했잖아. 꼭 누구를 기다리는 것 같다고."

"그래, 누군지 못 알아냈지만 그래도 나중이라도 다시 오시겠지. 어쨌든 많은 사람이 찾아올 테고, 난 그 역할을 하영이에게 맡겼어. 그 큰 상처는 한 사람한테서 치료를 받을 수 있는 게 아니거든. 더 많은 사람을 만나서 그 상처가 낫기를 바라면서 말이야."

"설마 그게 선물이다. 뭐 이런 건 아니지?"

"그것보다 더 큰 선물이지. 아마 그걸 발견하면 더 좋아할 거야."

아주머니는 오랜 시간을 버티지 못하고 결국 돌아가셨다. 남자는 아주머니의 유품들을 정리하고 다시 일상으로 돌아갔다. 그리고 '선물'에 대한 것도 잊고 있었다. 몇 년이 지날 동안 카페를 갈 생각조차 하지 못할 정도였다.

"미안, 내가 많이 늦었지. 너한테도 얘기하고 싶었지만, 엄마가 더는 상처를 주지 말라고 해서 오지 못했어."

"그런데 여길 왜 왔냐고요."

하영은 남자에게 따지듯이 물었다. 상처를 주지 말라고 해서 안 왔으면서, 마지막 인사도 못 하고 떠났으면서, 갑자기 왔다는 사실에 눈물이 눈가에 차오르기 시작했다.

"제가 아파할 거 알고 있으면서 왜 왔냐고요. 빨리 얘기해요."

"선물을 찾았어. 엄마가 너를 위해 남겨주신 선물."

남자는 편지를 하영에게 건네며 주머니에서 담배를 꺼내고 밖으로 나갔다. 하영은 그 편지를 뜯어서 조심스럽게 읽기 시작했다.

하영이에게. 네 이름을 생각하면 그대가 떠올라. 공원에서 울고 있는 너를 발견한 날 말이야. 일이 있으리라 생각하고 너를 지나치려고 했어. 그런데 발걸음이 떨어지지 않더라고. 내가 만약 그때, 너를 지나쳤다면, 나는 계속 마음에 네가 밟혀서 제대로 살지도 못했을 거야. 이름도 예쁜 아이에게 무슨 일이 생긴 걸까 생각하며 너를 보듬어주기로 했지. 생각보다 깊은 상처에 놀라기도 했지만, 나는 그 상처를 이길 수 있을 거라고 느꼈어. 너라면 뭐든지 할 수 있겠다고.

그래서 내 카페를 이어줄 사람이 너라는 것을 직감했어. 내가 이루지 못한 꿈도 너는 이룰 수 있을 테고, 우리 카페의 존재를 네가 만들 수 있을 거라고 확신했어. 지금에 와서 본다면 그보다 더 큰 역할을 해주고 있었지. 사람들을 도와주고 있을 하영아. 정말로 미안하다. 말없이 떠나서. 너한테 내 추한 꼴을 보여주기는 싫고, 네 눈에 눈물 만들기 싫어서 말없이 떠나는 날 용서해줘라. 너는 나랑 한 약속을 지켰는데 나는 지키지 못해 미안하다. 꼭 안아주던 그대가 그립다. 만약 소원이 이루어진다면 그 카페에 꼭 가마. 네가 해준 음료 마시면서 너와 얘기하고 싶구나. 아주머니가.

하영은 편지를 읽다가 군데군데 있는 눈물 자국을 보았다. 눈물 자국 위의 글자들은 번졌으며, 그 자국은 끝에 갈수록 점점 많아졌다. 편지를 다 읽었지만 계속 편지를 볼 수밖에 없었다. 눈물 자국 위에 그녀의 눈물이 포개지고 편지에 스머들었다.

"아주머니, 이런 편지를 남기신다고 제가 편해질 것 같나고요. 제 앞에 나타나서 이런 얘기를 해야죠. 고작 이 종이 쪼가리로 어떻게 위로가 되냐고요."

하영에게 이 편지는 변명만 가득한 종이로 보였다. 마음 같아서는 편지를 찢고서 아주머니를 데리고 오고 싶었지만 그럴 수 없다는 상황은 그녀에게 더 커다란 상처가 생길 것 같았다.

"미안, 내가 너무 늦게 전해줬지. 엄마가 다른 유품은 돌아가시기 전에 정리하셨는데, 이 편지만큼은 서랍장 뒤에 꼭꼭 숨겨두셨더라고. 그리고 나한테도 이런 편지가 있다는 걸 얘기하지 않았고. 아마 그때 전해줬더라면 네가 힘들까, 걱정돼서 그러지 않았을까?"

남자가 하영이를 위해 말을 던졌지만, 그녀는 그 말을 듣지 못했다. 들리는 것은 아주머니의 목소리로 들리는 미안하다는 말이었다. 편지의 내용은 하영의 머릿속을 맴돌았고 어떤 생각도 이길 수 없었다. 다시 예전처럼 심장박동이 줄어들고 몸을 옥죄고 있고 마음은 피를 흘리고 있었다.

"제발. 나한테 왜 그러는 거야. 내가 뭘 해야 하는데…."

하영은 바닥에 주저앉아 가슴을 손으로 치고 있었다. 가슴이 멍들 정도로 때려도 해답은 나타나지 않았다. 공원에서 울던 그때처럼 눈물만 흐르고 있었다.

"선배님이랑 저 사람이랑 무슨 일이 있는 건가? 궁금하네. 그런데 분위기를 봐서는 가면 안 될 것 같고."

태진은 자꾸 그녀의 표정이 떠올라 마음이 편하지 않았다. 그렇게 심각한 표정의 하영은 본 적이 없었기에 가만히 앉아있을 수도 없었다. 작은 카페의 창문으로는 안에 어떤 일이 일어나고 있는지 알 수 없었고, 태진은 엄습하는 불안감에 카페 안으로 들어가기로 하고 천천히 카페로 다가갔다. 태진이 창문으로 본 하영의 모습은 믿을 수 없었다. 바닥에 주저앉아 울고 있는 그녀의 모습에 태진은 두 눈을 비비고 다시 보았다. 분명 하영이었다.

"선배님이 왜 울고 계시지? 저 남자가 괴롭혔나? 아니야, 남자 표정을 보니 아닌 것 같은데?"

그 상황만 봐서는 어떤 일이 있었는지 알 방법이 없었다. 태진은 조심스럽게 카페의 문을 열었고 남자는 그런 태진을 발견하고는 말을 걸었다.

"여기 직원이지? 하영이를 부탁할게. 지금 많이 힘들 거야. 부탁해."

남자는 서둘러 카페 밖으로 나갔다. 이제 카페에는 하영과 태진밖에 남지 않았지만, 태진은 처음으로 느끼는 카페의 분위기에 어찌할 줄 모르고 있었다. 서글프게 우는 하영과 탁자 위에 있는 편지. 대체 그녀에게 무슨 일이 있었는지 알 수가 없었다.

"선배님? 괜찮으세요?"

전혀 괜찮아 보이지는 않았지만, 하영에게 건넬 말이 없었다. 어떤 일이 있었는지 알아야 위로를 전할 수 있고, 진정해야 얘기를 할 수 있기 때문이었다. 결국, 그녀에게 시간을 주기로 하고 카페 문을 잠그고 불을 끈 뒤 다용도실로 조용히 들어갔다. 그러는 사이에도 하영의 울음은 그치지 않았다.

태진은 다용도실에서 숨죽이고 있다가 하영의 울음이 그칠 것처럼 작아지자 밖으로 고개를 내밀었다. 하영은 주저앉은 모습 그대로였지만 더는 흘릴 눈물이 없는지 울지는 않았다.

"선배님, 괜찮으세요?"

태진의 물음에 하영이 겨우 고개를 들었다. 하영의 두 뺨은 부은 듯 불그스름해졌고, 머리카락은 헝클어졌으며 멀쩡해 보이는 곳이 한 곳도 없었다.

"태진아, 미안해. 나한테 시간 좀 줘."

하영은 반쯤 잠긴 목소리로 태진에게 양해를 구했다. 태진은 그녀의 말을 듣자마자 다용도실에서 나왔고, 하영이 다용도실로 들어갔다. 카페 안에 가득한 적막함에 태진은 안절부절 카페를 돌아다녔다.

"걱정 많이 했지?"

한 시간이 지났을 무렵, 하영이 헝클어진 머리카락을 정리하며 다용도실을 나왔다. 태진은 당장이라도 그녀에게 무슨 일이 있었는지 물어보고 싶었다. 하지만 그 정도로 울 수 있는 일을 쉽게 물어볼 수는 없었다.

"괜찮으시다면 다행이에요. 무슨 일이 있었는지는 물어보지 않을게요. 선배님이 울었다는 것도 못 본 거로 할게요. 그러니까 이제 울지 마세요."

"뭐야, 그런 말은 어디서 들었어? 드라마?"

"됐어요. 선배님 걱정해주는 말이었으니까요."

"알겠어. 고마워. 다시는 울지 않을게."

"아까 그 남자는 누구예요? 선배님이 아는 분인 건 알겠는데."

"내 과거랑 얽혀 있는 분이야. 그러니까 그분이 또 오시면 잘 해드려."

"네? 과거요?"

"무슨 일이 있었는지 안 물어본다며. 눈 크게 뜨면서 놀라긴."

태진은 그녀가 무언가 커다란 것을 숨기고 있다는 것을 알고 있었다. 하지만 그녀는 커다란 것의 일부분조차 태진에게 보여주려고 하지 않았다. 오히려 더 숨겨두었고, 태진은 그녀에게 어떤 말로 위로를 해주어야 할지 난감했다.

"괜찮아. 너 지금 날 위로해주려고 했지? 괜찮으니까 그러지 마. 나 말고 다른 사람들한테 잘 해줘."

"그래도 선배님인데, 정말로 괜찮겠어요?"

"응. 위로는 됐고, 나 녹차 한 잔만. 따뜻하게."

"더운데 괜찮으세요? 얼음 넣어서 시원하게…"

"아니, 녹차는 따뜻하게."

태진은 고개를 갸우뚱거리며 녹차를 우리고 있었고, 하영은 창가 쪽에 앉아 아무도 없는 맞은편을 바라보았다. 마치 누군가를 기다리는 것 같았다. 태진은 녹차를 하영에게 주었고 시계를 보았다.

"앗, 벌써 시간이 이렇게 됐네! 선배님, 저 오늘 근처에 약속이 있어서 먼저 퇴근해 볼게요. 죄송해요."

"아니야, 괜찮으니까 어서 가. 내일 봐."

"네, 조심히 들어가세요."

태진은 급하게 다용도실로 들어가 옷을 갈아입고 카페를 나갔다. 그가 사라지자 하영은 탁자에 엎어져 녹차가 들어있는 잔을 손가락으로 툭툭 쳤다.

"아주머니. 저 잘하고 있는 거예요?"

"……."

"편지 잘 읽었어요. 왜 숨겨놓으신 거예요?"

"……."

하영은 허공에 질문을 던져보지만, 메아리도 울리지 않고 바닥에 툭 떨어져 버린다. 그녀는 녹차 한 잔을 마시고 다시 탁자에 엎어졌다.

"아주머니가 왜 녹차를 좋아하셨는지 알겠어요. 따뜻하지만 쌉쌀한 이 맛. 위로는 달콤할 수 없는 거죠. 그건 아부니까."

"……."

"아주머니가 얘기했잖아요. 제 길을 걸으라고. 이게 제 길인 것 같아요. 그런데 걷다가 지치면 어떻게 하죠? 이젠 엄마도 아주머니도 없는데. 내 마음이 멍들어 있으면 어떡하죠? 아주머니가 발라준 약이 뭔지도 모르겠어요. 그것만 있으면 마음이 멀쩡해졌는데. 그게 뭔지…"

하영은 눈물이 나올 것 같았지만 참고 견뎠다. 그리고 쌉쌀한 녹차를 마시고 또 마셨다. 아무것도 남지 않은 찻잔을 탁자에 내려놓고 소매로 입가를 닦았다.

"죄송해요. 울지 않기로 했는데, 계속 웃기로 했는데…. 이 약속은 꼭 지키고 싶었는데…. 죄송해요."

그렇게 초여름 밤의 추억은 하영의 곁을 떠나지 않았고, 하영은 추억을 녹차에 넣어 마신 듯했다. 녹차의 맛이 더 쓰게 느껴졌기 때문이었다. 추억은 잊히는 게 아닌 바래지는 것이다. 하지만 하영의 추억은 절대로 바랠 수 없게 되었고 영원히 곁을 떠나지 않게 되었다.

7

일곱 번째 위로,
생각은 모두가 다른 것인데

이건 꼭 명심하세요.
사람들 생각은 늘 다르기 마련이에요.
모든 사람이 같은 생각을 가질 수는 없어요.
그런데 하나의 생각을 무시할 생각은
애초에 하지 마세요.

조금은 더워진 여름의 한가운데에 카페의 손님은 하루에 두 명 정도였다. 하지만 다른 카페도 마찬가지였기에 사장님들은 손님을 유치하기 위해 분주했다. 물론 하영만 멀쩡했다. 그녀는 카페에 여유롭게 앉아서 쨍쨍한 햇빛에 더워하는 사람들을 보고 있었다. 그때, 백 사장이 손으로 부채질하며 카페로 들어왔다.

"유 사장님, 얘기 들으셨어요?"

"네, 한 시간 후에 '여름 회의' 한다고요."

"기대돼요. 무슨 얘기가 나올까요?"

"기대 안 해도 돼요. 혹시라도 가서 어떤 말을 하고 싶어도 가만히 있어요. 만약 그곳에서 말하면 나중에 골치 아플 거예요."

"그래요? '여름 회의'라서 기대하고 있었는데…"

백 사장은 여름 회의를 기대하고 있었던 것 같다. 대체 어떤 생각을 했는지 모르겠지만 썩 좋은 생각은 아니라는 것은 확신할 수 있었다.

"백 사장님은 어떤 생각을 하고 있는데요?"

"아, 일단 카페의 외벽을 새롭게 단장했으면 좋겠어요. 아무리 봄의 정원 옆에 있는 카페들이라지만 분홍색으로 도배를 하니 특색이 없어요."

"그건 아마 다른 사장님들이 반대하실 거예요. 그런 의견이 한 번도 안 나왔겠어요? 당연히 반대해서 분홍색을 유지했죠. 뭐, 무지개색으로 칠하자는 의견은 찬성이 조금 있었지만."

"무, 무지개요?"

"그러니까 기대하지 마세요. 그리고 의견 쉽게 말하지 말고요. 만약에 물어보면 모르겠다고 얘기하고, 찬성, 반대만 대답해요."

"하하, 살짝 걱정되네요. 그러고 보니 직원이 없네요. 어디 간 건가요?"

"아, 걔가 몸이 허약해서 감기로 고생하고 있어요. 오늘 아침에도 잠긴 목소리로 못 나오겠다고 하더라고요. 어차피 손님도 없으니 그냥 집에서 쉬라고 했죠."

"일단 알겠습니다. 그럼 있다가 여름 회의에서 뵙겠습니다."

"네."

백 사장은 머리를 뒤로 넘기며 카페를 나가고 손으로 부채질을 연신 해댔다. 하영은 그가 나가자, 자리를 정리하고는 공원으로 나갔다. 공원에는 방학을 맞이한 아이들이 뛰어다니고 있었다.

"애들은 덥지도 않나? 와서 아이스티 마시고 싶지 않니?"

하지만 씨알도 안 먹힐 유혹이었다. 그녀는 손님도 없겠다 나무 그늘에서 잠시 쉬기 위해 등나무 쉼터로 다가갔다. 그곳은 어르신들의 쉼터였지만 무더위 때문인지 아무도 없었다.

"아직 회의까지는 40분이나 남았는데 혼자서 뭘 해야 할까."

하영은 축구를 하는 아이들에게 시선을 돌렸다. 땀을 흘리면서도 공을 이리저리 차니 모든 모습이 귀엽게 느껴졌다.

"이 날씨에 축구라니. 역시 애들이야. 나도 저런 열정을 가지고 싶은데, 왜 이렇게 만사가 귀찮은지."

하영은 고개를 위로 올려 여름 바람을 느꼈다. 덥기는 하지만 풀내음과 섞인 바람이었기에 기분은 좋았다. 자연스럽게 콧노래가 나오고 제목도 모르는 노래를 흥얼거렸다.

"흠, 조금 덥긴 하네. 안 되겠다. 가서 얼음물이나 한 잔 마셔야지."

하영은 두 팔로 벤치를 짚으며 벌떡 일어나 하품하며 카페로 다가갔다. 정신이 멀쩡하다가도 회의라는 단어만 생각나면 피곤해졌다. 하지만 회의에 불참하면 불이익이 있을 수 있기에 어쩔 수 없이 참석해야 했다.

얼음이 가득 든 컵에 물을 부으니 달그락거리며 벌써 시원함이 느껴졌다. 하영은 얼음물 한 모금에 한숨을 쉬기를 반복했다. 마시고 한숨을 쉬고, 마시고 한숨을 내쉬었다.

"물만 마셔도 체하겠네. 대체 이러지도 저러지도 못할 회의를 하려는지 모르겠다니까."

결국, 회의 시간이 다가오고 하영은 이번 회의 장소인 백 사장의 카페로 갔다. 그곳엔 이미 사장들이 많이 모여 있었다.

"아, 오셨군요."

백 사장이 손을 흔들며 하영에게 웃음을 지었지만, 다른 사장들은 하영에게 관심이 없었다. 애초에 회의할 때, 아무 의견도 없고, 반대만 하는 사람을 반길 리가 없었다. 몇몇 사장이 더 들어오자, 상가 운영회의 회장이 큰 소리로 회의의 시작을 알렸다.

"크흠, 이번 연도의 여름 회의를 시작하겠습니다. 좋은 아이디어가 있으면 얘기해 주시기를 바랍니다."

아무도 얘기가 없었고 조용했다. 아마 저번 '봄 회의' 때의 플라워 카페가 망했기 때문일 것이다. 그때, 누군가 손을 번쩍 들었고, 하영은 그곳을 보았고, 백 사장이 손을 들고 있었다.

"에휴, 저 바보."

"제가 건의하고 싶은 내용은 외벽 도색입니다. 거의 모든 카페가 분홍색으로 도배하니 특색이 없습니다. 각자 다른 색으로 칠했으면 좋겠습니다."

그의 말이 끝났지만, 반응은 싸늘했다. 사람들은 전부 백 사장을 쳐다보았고 백 사장은 손을 조심스럽게 내렸다.

"크흠, 도배는 돈 낭비일 뿐입니다. 어차피 다음 봄이 오면 다시 분홍색으로 칠할 텐데, 굳이 돈을 더 써서 도배하는 것은 좋지 않고 생각합니다."

회장의 한 마디에 사람들은 웃음을 터뜨렸다. 당연한 일이었다. 백 사장만 모를 뿐, 도색에 대한 의견은 해마다 나왔다. 하지만 모두 이렇게 무시당할 뿐이었다.

"아, 그렇습니까?"

백 사장은 무안한 듯 머리를 긁적이며 사람들의 눈치를 보았다. 하지만 백 사장의 의견을 제외하고는 어떤 의견도 나오지 않았다.

"의견 없으십니까? 그 어떤 의견도 좋습니다. 다른 좋은 아이디어 있습니까?"

몇 분 동안 침묵이 이어지자, 회장은 안경을 고쳐 쓰며 헛기침했다. 그런데도 아무도 입을 벌릴 생각이 없었다.

"알겠습니다. 그렇다면 이번 여름 회의는 마칩니다. 혹시라도 좋은 의견이 있다면 저한테 얘기해 주세요. 바로 적극적으로 반영하겠습니다."

회장의 말에 모두 바쁘게 자신의 카페로 가버렸다. 이곳에 남은 사람은 백 사장과 하영뿐이었다.

"그러게 왜 그랬어요? 제가 경고했잖아요."

"하하, 이것 참 무안하네요. 이렇게 무시를 당할 줄이야."

"그러니까 괜히 골치만 아프다니까요."

"이럴 거면 회의가 무슨 소용이 있는지 궁금하네요. 적극적으로 반영한다는 사람이 제 의견을 무시하다니, 아이러니하지 않나요?"

"이 바닥이 원래 그래요. 이런 막무가내 회의 때문에 이곳을 떠난 사람도 있을 정도예요."

"하, 생각만 해도 짜증이 나네요. 이름만 회의이고 회장이라는 사람 맘에 들면 할 수 있다는 거 아닌가요?"

"그러니까요. 제가 그래서 가만히 있는 거예요. 그래도 이번엔 다행히 이상한 아이디어는 없네요."

"이왕 오신 김에 저희 카페 신메뉴 드셔보실래요?"

"다음에 먹을게요. 지금 카페에 아무도 없어서 가봐야 해요."

"아, 그렇군요. 다음에 먹으면서 얘기해요."

하영은 카페로 들어와 에어컨 앞에서 바람을 쐬고 있었다. 역시 바깥바람보다는 시원하고 상쾌했다. 그때, 회장이 카페의 문을 두드렸다. 하영은 갑작스러운 회장의 등장에 깜짝 놀라서 카페 문을 서둘러 열어주었다.

"어, 하영 양. 다름이 아니라 얘기할 게 있어서 말이야."

"아, 네. 여기 앉으세요."

"아니야, 금방 얘기하고 갈 거야."

"무슨 얘기인데요?"

"혹시 자네도 아까 지환 군의 의견에 찬성하나?"

"백 사장님이요? 왜요?"

"아니, 그냥 물어보고 다니는 중이야."

회장은 땀을 삐질삐질 흘리면서 하영을 바라보고 있었다.

"뭐 저는 중립이요. 이 카페를 바꾸고 싶지는 않아서요."

"아니, 찬성, 반대. 둘 중의 하나 골라."

하영은 생각해 놓은 답이 하나 있었지만, 괜히 고민하는 척 시선을 위로 올리고 턱을 어루만졌다. 회장은 그녀의 대답이 늦어지자 기다리지 못하고 자리에 풀썩 앉았다.

"어차피 제 의견 신경도 안 쓰실 거면서 왜 물어보시는지 모르겠네요."

"뭐라고?"

하영의 말에 회장은 인내심이 바닥이 났는지 벌떡 일어나 하영에게 대답했다.

"아니, 매번 획기적인 아이디어를 원하면서 의견 수렴은 하나도 안 하시고, 그래서 무슨 소용이 있겠냐, 이거죠."

"하영 양, 그게 무슨 소리지?"

"제가 언제까지 굽신거리며 의견을 얘기해야 합니까. 그것도 가짜로."

"하, 그럼 내가 뭐, 의견을 강요했다는 건가?"

"잘 아시네요. 전 또 모르고 계신 줄 알았습니다."

하영의 태도에 회장은 어이가 없다는 듯이 그녀를 쳐다보았다.

"아니, 하영 양. 갑자기 왜 그래? 혹시 그 사람이랑 어울리더니 그러는 거야?"

"백 사장님이요? 아니요. 이건 제 생각인데요. 회의를 그렇게 진행하느니 차라리 안 하는 것만큼 못 해요. 그게 무슨 회의에요?"

하영은 옆 카페 사장님이 가신 상황에 총대를 멜 사람이 자신밖에 없다는 것을 알고 있기에 지금까지 마음속에 묵혀왔던 이야기를 꺼냈다.

"저는 그런 회의는 한 번도 해본 적이 없어요. 얘기만 하면 웃으면서 무시해 버리고 이상한 핑계 대면서 별로라고 그러고. 도색 비용과 꽃을 사고 관리하는 비용 중에 무엇이 더 비싼지 제가 한 번 따져볼까요?"

"아니, 무슨 안 좋은 일 있었어? 갑자기 무슨 소리를 하는 거야?"

"사람 의견을 대놓고 무시하니까 그러는 거죠. 그렇게 무시하고 웃으니까, 기분이 좋습니까?"

"그게, 그러니까. 정말로 가격이 비싸서. 요즘 업체들이 부르는 게 비싸서…."

"도색 하는데 업체를 부르려고요? 우리 손 뒀다 뭐 하게요? 페인트 한 통 사서 바르면 되지. 뭘 거창하게 한다고 그러시는지 모르겠네요. 누가 들으면 아파트 한 채를 도색 한다고 생각하겠어요."

하영의 말에 회장은 말문이 막혀 그녀를 노려볼 뿐 어떤 말도 하지 못했다. 무슨 말을 해도 그녀의 기세를 꺾을 수는 없었다.

"전부 다 핑계예요. 그런 식으로 회의하실 거면 저랑 백 사장님은 부르지 마세요. 그냥 저희 빼고, 다른 사장들 맘에 드는 얘기만 하라고요."

"아니, 젊은 사람들 얘기도 들어보고…."

"아, 다른 사장들이 웃을 만한 젊은 사람들의 이야기가 필요하다 이건가요? 차라리 개그맨을 부르죠?"

"그래도 도색은 포기 못 해. 우리는 봄의 정원 옆에 있는 카페잖아."

"우리 이제 봄의 정원은 그만 놓아주죠? 언제까지 봄의 정원 옆에 있는 카페라면서 으스대고 있을 거예요? 손님이 없다면 변화하려고 노력해야지 언제까지 그렇게 머물고 있을 거냐고요. 카페가 특색이 없으니까 한 번 오고 다시는 안 오는 거예요. 가격만 싸면 뭐 해요? 사람들의 뇌리에 박히지 않잖아요."

하영의 말은 전부 맞는 말이었다. 카페들은 어느새 봄의 정원을 붙잡고 수식어로 쓰기 시작했다. 다른 지역의 카페들이 특색있는 음료수, 디자인, 간식, 주제를 내세우고 있을 때, 이곳의 카페들은 아무것도 하지 못하고 있었다. 바뀔 생각은 하지 않고서 회의만 하고 있으니 좋은 결과가 나타날 수가 없었다. 정말로 바꾸고자 하고 싶은 사람들은 이런 다른 사람들의 문제투성이 태도에 질색해 이곳을 떠나버렸다.

"그래도…"

"만약, 달라진 것이 없이 다음 회의가 진행된다면 저는 이곳을 떠날게요. 그동안 여기서 그 어떤 좋은 추억도 없었어요. 이런 곳에 제 청춘을 갈아 넣을 생각은 없어요. 그러니까 어떻게 할지 생각하시고 얘기해주세요."

"그래, 알겠네."

"그리고 이건 꼭 명심하세요. 사람들 생각은 늘 다르기 마련이에요. 모든 사람이 같은 생각을 가질 수는 없어요. 그런데 하나의 생각을 무시할 생각은 애초에 하지 마세요. 이번엔 백 사장님 같은 낙천적인 사람이었으니까 넘어갔지 만약에 저였으면 다 엎고 나갔을 거예요."

일종의 경고였다. 하영은 그동안 참아 왔던 말들을 경고장에 넣어 회장의 얼굴에 던지듯이 토해냈다. 그의 얼굴은 잿빛이 되었으며 안경은 코의 중간에 걸쳐져 있었다. 그는 하영의 말이 끝난 것 같아 고개를 숙이며 밖으로 나갔다. 하영은 그대로 자리에 앉으며 이마를 문질렀다. 두통이 살짝 있었다.

"하, 이제 여기서 장사는 못 하겠네. 아주머니 죄송해요. 참으려고 했는데 도저히 못 참겠어요."

하영이 이마를 짚으며 한숨을 쉬고 있을 때, 누군가 카페 문을 두드렸다. 백 사장이 유리잔을 들고 서 있었다.

"들어가도 괜찮아요?"

하영은 고개를 끄덕였고 카페 문이 열렸다. 백 사장은 땀을 닦으면서 카페로 들어왔다.

"혹시 회장님이 여기도 왔다 가셨어요? 회장님이 얼굴이 잿빛이 되어서는 저에게 사과하고 가시던데 무슨 일이 있었어요?"

"제가 뭐라고 화 좀 냈어요. 백 사장님 무시하고 그랬잖아요."

"아니에요, 유 사장님이 화내실 일은 아니었어요. 저는 괜찮았어요."

"이제 저런 태도 좀 고쳐야죠. 언제까지 그러고 있을 건지."

"아, 이거 신메뉴예요. 혹시 몰라서 가져왔어요."

"감사합니다. 조금 있다가 마실게요. 지금 머리가 아파서…"

"괜히 저 때문에…. 죄송해요. 경고를 해줬는데 제가 그걸 무시했네요."

"백 사장님 잘못이 아니에요. 언젠가는 이런 소리를 들어야 했어요."

백 사장은 하영의 선의에 감동한 듯 미소를 띠었다. 그 미소에 하영은 웃고서는 음료수를 한 모금 마셨다. 톡 쏘는 탄산수에 과일 맛이 살짝 첨가된 맛이 나는 게 여름에 팔기 좋은 메뉴였다.

"이거 괜찮네요."

"괜찮죠? 역시 좋아하실 줄 알았어요."

"혹시라도 아까 같은 일이 또 벌어지면 제가 뭐라고 할게요. 제가 여길 나가는 한이 있더라도 꼭 저 회장 태도는 바꾸고 나가야겠어요."

"그러지 마세요. 이번엔 제가 바보 같았어요. 대놓고 무시했는데 웃기만 했고. 강하게 나갔어야 했는데, 아직 다른 사장님들을 잘 모르니까 뭐라고 하지도 못했죠."

"우리도 사장이에요. 그러니까 뭐라고 하고 싶을 땐 해야죠. 그렇게 젊은 사람 타령하면서 젊은 사람 얘기는 듣지도 않는 그 사람들이 잘못한 거예요."

"감사해요. 해보지도 않은 카페를 하겠다고 나섰다가 힘들 수 있었는데, 제가 정말 운이 좋은가 봐요. 유 사장님처럼 좋은 분을 만나니 힘이 나네요."

둘은 음료수를 마시며 이런저런 얘기를 했다. 어쩌다가 카페를 열게 되었는지, 커다란 카페를 혼자서 감당할 수 있는지, 전에는 무슨 일을 했는지. 마치 모닥불을 피워놓고 얘기를 하는 사람들 같았다. 그들의 이야기는 끝날 기미가 보이지 않았다.

"오늘은 정말로 감사했어요. 다음에는 제 의견을 최대한 강하게 내세울게요."

백 사장은 고마움을 표했지만, 그녀는 손사래를 치며 괜찮다고 했다. 백 사장을 위한 마음도 있었지만, 그동안 참아 왔던 이야기를 한 이유도 있었기 때문이었다. 이 카페는 그녀에게 매우 뜻깊은 곳이기에 어떻게든 떠나지 않으려고 노력했다. 하지만 그녀의 인내심은 바닥나 있었고, 백 사장이 그 기회를 만들어 준 것이었다. 분명 그 상황에 태진이 있었더라면 브레이크 역할을 해주면서 하영이 끝까지 얘기하진 않았을 테다.

"나중에 시간이 되시면 저희 카페로 놀러 오세요. 손님도 없으니 적적해서 혼자서는 심심하네요."

"직원을 둘 생각은 없으세요?"

"있긴 한데, 직원 월급을 줄 수 있을지 걱정돼서 둘 수가 없네요."

백 사장은 멋쩍은 웃음을 지으며 문을 열고 나가고, 하영은 둘이 앉아있던 자리를 정리했다.

"내일이 되면 나는 쫓겨나겠지? 무슨 말을 들을까. 막 지르긴 했는데, 불안하네."

하영이 앞치마를 벗고서 다용도실로 들어가자, 시계는 6시를 알렸다.

"오늘은 조금 일찍 퇴근해 볼까? 어차피 손님도 없을 테고, 여기 있어봤자 전기세만 더 나오니까."

하영은 옷을 갈아입고 밖으로 나왔다. 저녁이었지만 더운 바람이 불고 있었고 그녀는 가볍지는 않은 발걸음으로 집으로 향했다.

"휴, 이번 주에는 태진이가 없는데 어떻게 해야 하나."

"회의를 또 한다고요?"

하영은 출근하자마자 청천벽력 같은 소식을 들었고, 아침부터 회의 소리를 들으니, 정신이 아득해졌다.

"그러니까. 회장님께서 뭔가 각오하신 것처럼 단호하게 얘기하시더라고. 혹시 누가 좋은 의견을 냈나 봐."

사장님의 말에 하영은 속마음이 뜨끔했다. 아마 좋은 의견이 아니라 하영이 카페를 그만둬야 한다는 얘기가 나올 것 같았다. 그렇게 그에게 화를 냈으니 멀쩡히 장사할 수는 없을 게 뻔했고, 그건 이미 예상된 시나리오였지만 이렇게 빠르게 회의 일정이 잡힐 줄은 몰랐다.

"휴, 변명도 안 통할 테고, 어떻게야 하나?"

"하영 씨, 표정이 왜 그래? 어디 아파?"

"아니에요, 그냥 잡생각이 많아서요."

회의 시간이 다가오고 하영의 마음은 점점 긴장되었다. 대체 어떤 말로 그녀를 내쫓을지, 어떤 망신을 줄지, 고소는 하지 않을까. 별의별 생각이 그녀를 둘러쌌다. 하영은 회의 장소인 회장의 카페로 갔지만, 백 사장은 그곳에 없었다. 그의 빈자리는 하영을 더 불안하게 만들었고, 그녀가 자리에 앉기도 전에 회의의 시작을 알렸다.

"어, 일단 빈자리가 있는데 백지환 사장의 카페에 수도가 고장 나서 며칠 동안 운영이 불가능하다고 합니다. 다들 조심하시기를 바랍니다."

회장의 한마디에 하영은 가슴을 쓸어내렸고, 조금은 편해졌다.

"그리고 제가 여러분을 소집한 건 다름이 아니라 의견 하나가 접수됐기 때문입니다."

모두가 술렁였고, 한 사람만이 진땀을 흘리고 있었다. 긴장의 끈을

놓을 수 없는 하영은 다리를 떨었고, 손톱을 물어뜯고 있었다. 누가 봐도 실수를 저지른 듯한 사람 같았다.

"이번 회의를 마지막으로 회장직을 내려놓겠습니다."

회장의 말에 그 누구도 동요하지 않은 사람이 없었다. 모두가 놀랄 만한 소식이었고, 그 이야기는 새로운 회장을 뽑을 수 있다는 말이었다.

"그리고, 상가 운영회의 회장직을 없애겠습니다."

"아니, 당신만 즐기고 회장을 없앤다니, 이게 무슨 소리야?"

"맞아, 혼자 왕 노릇 할 때는 언제고, 인제 와서 없앤다고?"

사람들은 그의 말에 분노를 감출 수 없었고 그의 말에 반대했다. 왕과 같은 회장을 없앤다니, 누가 생각해도 짜증이 날 발언이었다. 사람들은 금방이라도 이곳을 박차고 나갈 기세였다.

"일단 제 얘기를 들어주세요. 저한테도 쉽지 않은 결정이었습니다. 아마 제 말에 수긍하고 찬성하실 분은 몇 없을 거라고 생각됩니다. 저는 지금까지 회의를 진행해 왔습니다. 계절마다 아니면 한 달에 한 번씩 했었죠. 그렇게 회의할 때마다 좋은 의견이 있다면 얘기해달라는 말로 시작을 끊었습니다."

사람들은 그의 말을 듣고는 다시 자리에 앉아 고개를 끄덕이기 시작했고, 그는 침착하게 자신의 이야기를 이어갔다.

"하지만 저는 사람들의 의견을 듣지 않았습니다. 다른 핑계를 대며 별로라는 듯 얘기했죠. 여러분도 다 아실 거라 믿습니다. 저번 회의할 때도 있었으니까요. 특히 젊은 사장들의 이야기를 무시했었습니다."

회장의 말에 일제히 하영을 바라보기 시작했다. 하영은 시선들이 부담스러워 천장을 바라보았고, 얼른 이 시간이 끝나기를 바랐다.

"변화를 추구한다고 생각했는데, 이번 기회에 제가 잘못된 생각을 하고 있었다는 것을 깨달았습니다. 이런 회의를 지속한다면 나아지기는 커녕 오히려 사람들이 찾아오지 않을 것이라는 결과가 나왔고, 회의를 잘못 이끌어간 저한테 벌을 주고자 이런 결정을 했습니다. 그리고 아무리 좋은 사람이 회장이 된다고 한들 이런 분위기에서는 발전을 이끌어 갈 수 없다는 생각에 회장을 없애기로 한 것입니다. 물론 제 의견일 뿐이니 반대되는 의견이 있다면 얘기해 주세요. 이번엔 적극적으로 반영하겠습니다."

사람들은 하나둘씩 손을 들고 자신의 의견을 얘기했다. 회장이 있어야 다른 사장들을 이끌어 갈 수 있다는 사람들과 회장은 양날의 검이니 이번 기회에 없애야 한다는 사람들로 갈라져 말하니 시끄러웠다. 그때, 하영이 손을 번쩍 들며 처음으로 의견을 얘기했다.

"저는 회장이 없어야 한다고 생각합니다. 우리는 지금까지 회의를 통해 한 가지 주제를 잡아 카페를 변화시켜 왔습니다. 하지만 통합된 주제로 거의 모든 카페가 변화되니 똑같은 제자리걸음이 되었습니다. 각자의 개성은 이미 사라진 지 오래고, 손님들은 어느 카페를 가든 똑같다는 생각이 들 것입니다. 저번에 플라워카페는 꽃 알레르기가 있는 사람한테는 오지 말라는 경고와 같았습니다. 그러면서 왜 손님이 없을까 걱정하고 있는 모습은 잘못된 자세였습니다."

하영의 의견은 연설과도 같았고, 사장들은 그녀의 의견을 경청하기 시작했다. 전에는 어떤 이야기를 해도 안 듣던 사람들이었지만 회장의 말을 시작으로 태도를 바꾸기 시작한 것이다.

"모두가 다른 모습으로 탈바꿈해야 할 때라고 생각합니다. 언제까지 봄의 정원을 들먹이고 있을 겁니까. 비록 봄의 정원을 방문한 사람들이 우리들의 잠재적 손님이라고 하지만 만약 모든 카페에 개성이 생긴다면 사람들은 카페를 방문하기 위해 올 것입니다."

하영의 말이 끝나자, 몇몇 사람들은 손뼉을 쳤고, 감탄하는 사람도 있었다. 그녀는 이런 박수를 받기 위해 한 말이 아니었기에 얼굴을 찌푸렸지만, 그녀의 마음을 이해하는 사람은 아무도 없는 듯했다. 회장은 헛기침하더니 회의의 주도권을 다시 가져왔다.

"크흠, 하영 양의 말을 들어보면 정말로 우리는 제자리걸음을 하고 있었습니다. 이제는 회의를 통한 결정이 아니라 개인의 결정과 선택을 존중하고, 서로 상부상조하며 개성을 찾아가야 할 때라고 생각합니다. 그동안 제 행동에 상처받았을 모든 사장님께 사과드립니다."

이번 회의를 시작으로 카페에서는 새로운 바람이 불었다. 산뜻하면서도 상쾌한 바람이었다. 몇 년 동안 분홍색의 옷을 입었던 카페들은 다른 색의 옷으로 갈아입기 시작했고, 어떤 곳은 인형을 두었고, 어떤 곳은 커다란 수조에 열대어들을 넣었고, 어떤 곳은 강아지들을 카페에 들여놓았다. 각자의 개성을 찾아가자 사람들은 조금씩 카페를 찾기 시작했고, 회의는 더는 필요 없는 방식이 되어버렸다. 하지만 회장은 그대로 있었는데, 모두 그의 잘못이 아님을 알아주었기 때문이었다. 모두의 잘못이었으며, 모든 사장을 묶고 이끌어줄 사람이 필요했기 때문이었다. 분명 행동은 잘못되었지만, 지도력만큼은 좋은 사람이었기에 유지할 수 있었다.

"그래, 이렇게 바뀔 수 있었으면서 대체 지금까지 뭘 한 걸까."

"그러게요. 저 없을 때 무슨 일이 있던 거예요?"

"많은 일이 있었지. 몸이 허약해서 감기로 일주일을 쉰 환자는 몰라도 되는 일이었어."

"아니, 독감이었어요. 제가 얼마나 고생했는데요."

태진은 아직도 감기 기운이 있는 듯 코를 훌쩍이며 테라스에 기대어 있었다. 하영은 카페에 들어갔다가 금방 나오는데 손에는 냅킨 몇 장을 들고 있었다.

"코 좀 풀어. 콧물이 뭐가 맛있다고 훌쩍이고 있어."

"코가 헐어서 아프단 말이에요. 이게 아마 맘고생 해서 몸이 약해져서 그런 거예요."

"아~. 나 때문이다?"

"아니, 그게 아니라…."

"됐어, 휴지 내놔."

하영은 말로는 휴지를 빼앗으려고 했지만, 손은 가만히 있었다. 지금은 그 누구보다 태진을 걱정하고 있었다.

"하영 씨, 혹시 우리 카페 앞에 그림 좀 그려 줄 수 있나?"

"네, 금방 갈게요."

"선배님, 그림도 그리세요?"

"뭐, 젊은이의 그림은 뭐가 다르다나 뭐라나. 가서 대충 휘젓고 와야지. 너도 갈래? 너도 살짝 그릴 줄 알잖아?"

"저는 유치원생 정도예요. 낙서 수준이니까 저는 여기 있을게요."

"그래? 그럼 카페 잘 보고 있어. 이제 우리도 손님이 올 테니까."

"알겠어요."

하영은 그림을 그리기 위해 예전에 쓰던 앞치마를 둘러매고 다른 카페로 천천히 걸어갔다. 태진은 카페 안으로 들어오며 이곳도 바뀔 필요가 있다고 생각했다.

"칠을 할까, 아니면 우리도 강아지를 키울까? 아니야, 똑같으면 안 되니까 고양이를 두자. 아니야, 앵무새? 그럼 조금 시끄러울까?"

태진은 창가 자리에 앉아 깊은 고민에 빠졌다. 다른 카페처럼 새로운 모습으로 탈바꿈을 하고 싶었다.

"일단 노트에 적어놓고 선배님 오시면 얘기해 봐야겠다."

그는 노트에 하고 싶은 것을 적었고, 노트는 두세 장을 넘어 빼곡하게 목록이 적혔다. 칠하고 싶은 색깔부터 해서 탁자와 의자의 색, 신메뉴와 기르고 싶은 애완동물들까지 적었고, 거의 마지막을 적고 있을 때, 하영이 들어왔다.

"금방 하셨네요?"

"어, 그냥 꽃 그려달라고 해서. 꽃 몇 송이 그리니까 좋다고 하셔서 왔지. 자, 여기 빵 받아. 사장님이 수고했다고 주셨어. 이제 저기는 제빵도 한다고 하시네."

"와, 많이 달라졌네요. 제빵이라니."

"그래서 직원도 새로 뽑으셨다는데, 되게 이쁘게 생겼더라고."

"정말요?"

"남자친구 있으시다니까 괜히 얼굴 빨개지지 말고."

태진의 얼굴은 붉어졌지만 금방 가라앉았다. 하영은 그 모습에 빵

터져서 태진의 얼굴을 손가락으로 가리키고는 크게 웃었다. 태진은 쑥스러워하며 얼굴을 두 손으로 가렸지만, 하영의 웃음은 그칠 줄 몰랐다.

"하하, 얼굴이 빨개졌다가 다시 괜찮아지니까 마술 같네, 하하."

"놀리지 마세요. 저 놀리려고 그런 말 꺼낸 거죠?"

"하하, 내가 뭘 놀려. 혹시 네가 여자분한테 고백했다가 차일까 봐 그러지."

"아, 맞다. 이거 제가 적은 건데요. 여기를 어떻게 바꿀까 생각해 본 거예요."

하영이 웃음을 멈추더니 심각하게 노트를 바라보았다. 태진은 갑작스러운 분위기 전환에 침을 꿀꺽 삼켰다.

"난 여기를 바꿀 생각이 하나도 없는데?"

"네? 아니, 다른 카페는 막 바꾸느라 정신이 없는데, 저희는 이런 카페를 그대로 둔다고요?"

"그래. 여길 바꿔서 뭐가 더 나아진다고. 그냥 두는 게 예뻐. 다른 곳이 다 바꾼다고 우리도 다른 카페를 따라가면 되겠어?"

하영의 말에 태진은 노트를 천천히 읽었다. 만약 노트에 써진 대로 바꾼다면 그들은 황새를 쫓아가는 뱁새가 될 것이 뻔했다. 그러다가 다리가 찢어져 문을 닫아야 할 수도 있었다. 물론 태진의 생각이 잘못된 것은 아니었지만 하영의 과거를 모르는 그에게는 하영의 말처럼 그냥 두는 것이 예쁘다고 느껴졌다.

"알겠어요. 청소나 열심히 할게요."

"아니, 청소보다는 저기 박 사장님 카페 있잖아. 거기 가서 좀 도와드려. 의자 새로 바꾼다고 하셨는데 직원이 둘 다 휴가라서 혼자 힘들어하시니까 가서 도와드려."

"알았어요."

태진이 일을 도와드리러 나가자 하영은 탁자와 의자를 유심히 바라보고는 중얼거렸다.

"그래도 예전 모습 그대로인 건 조금 그렇겠지. 태진이의 의견도 전부 무시하기에는 그렇고. 가구 배치라도 바꿔볼까?"

의자를 하나씩 옮겨보니 내부가 살짝 달라지기는 했다. 하지만 카페의 규모를 생각한다면 원래의 배치가 제일 나아 보였다. 그녀는 다시 의자를 원래대로 옮기고 다른 방법은 없을까 고민했다. 그때, 태진이 서둘러 들어오고는 하영에게 말했다.

"선배님, 박 사장님이 의자 주문을 잘못하셔서 2개가 남으신다는데, 어떡하실래요? 받을까요?"

"얼만데?"

"반값에 주시겠대요. 만 원이요."

"그래, 내가 나중에 2만 원 드리겠다고 하고 가져와. 이건 기회니까."

"앗싸! 알겠습니다!"

태진은 웃으면서 밖으로 급하게 뛰어갔다. 얼마나 신나는지 발걸음이 엄청 가벼워 보였다. 하영은 창가 자리에 앉아 두 눈을 감고 얘기했다.

"아주머니, 태진이라고 제 후배예요. 얼마나 열심히 하는지 가끔 보면 저보다 더 사장 같아요. 아주머니가 불편하실 수도 있겠지만 제가 생각은 늘 다른 것이라고 얘기했는데, 태진이의 생각을 무시하면 안 되잖아요. 그러니까 이번엔 너그럽게 이해해주시리라 믿어요."

하영이 두 눈을 뜸과 동시에 태진이 의자 2개를 가지고 들어왔다.

지금 있는 탁자와도 잘 어울릴 것 같아 책장 앞자리에 두기로 했다.

"역시, 원하니까 기회가 찾아오네요."

"그러게. 나중에 사장님께 감사하다고 얘기 드려. 그리고 다음에 우리가 뭔가 드릴 게 있으면 드리자."

"네, 저는 새 가구 들어온 김에 청소 한 번 할게요."

태진은 바닥을 쓸고 닦으며 청소하고 하영은 녹차를 우리고 창가 자리에 앉아 카페 밖을 보며 지나가는 사람들을 보았다. 그들에게 근심은 없어 보였으며 행복해 보였다.

"저 사람 중에 우리 손님이 있을까."

"안녕하세요. 오랜만이네요."

백 사장이 문을 열고 들어오며 가벼운 인사를 건넸다. 하영은 오랜만에 본 그를 반갑게 맞이하며 자리에 앉혔다.

"기가 막히네요. 여름에 수도가 망가질 줄은 몰랐는데, 덕분에 일주일 동안 잘 쉰 것 같아요."

"백 사장님 없을 때, 많은 게 바뀌었어요. 알고 계셨어요?"

"오랜만에 출근하는데, 저는 다른 곳에 온 줄 알았어요. 며칠 전만 해도 여기저기 분홍색이었는데, 알록달록한 게 멋있던데요?"

"이게 다 백 사장님 덕분이에요. 백 사장님이 기회를 주셨어요."

"하하, 딱 봐도 유 사장님 작품이던데, 굳이 저한테 공을 안 돌려도 돼요. 저는 경고 무시하고 나댄 것뿐인걸요."

"그런가요?"

"그런데 이제 어떡하죠? 저 카페 닫고 시골로 내려가야 할 것 같아요."

"네? 그게 무슨 소리세요?"

"며칠 전에 아버지가 편찮으시다는 연락을 받고 갔다 왔거든요. 상태를 살펴보니 제가 여기서 오래는 못 있을 것 같더라고요. 그래서 어제 회장님 만나서 다 얘기했고, 정리해야 할 것 같아요."

하영은 내심 아쉬웠지만, 그의 사정이 이해가 되기에 고개를 끄덕였다.

"그래도 다시 정리되면 손님으로써 찾아올게요. 그때까지 잘 있어 주세요."

"알겠어요. 나중에 봬요. 가기 전에 여기 한 번 들려주시고요."

"당연하죠. 많이 아쉽네요. 제 또래의 사장을 만나기가 쉽지는 않아서, 친해지고 싶었는데, 이제 막 친해지려고 하니까 여길 떠나야 하네요."

"괜찮아요. 언젠가는 다시 만날 수 있겠죠."

"그래도 여기 있으면서 유 사장님께 많이 배웠어요. 비슷한 또래인데도 유 사장님의 생각은 저와 아주 달랐고, 그 차이를 느끼며 많은 걸 배웠어요."

"다행이네요."

하영은 애써 웃음을 지었지만, 여름마다 누군가가 떠나간다는 생각에 속으로는 웃을 수가 없었다.

"그동안 감사했어요. 바로 내일 떠나지는 않지만, 지금부터 정리하면 바빠서 여기를 못 올 수도 있어서 미리 얘기 드릴게요."

"네, 건강하세요."

백 사장은 밖으로 나가고 태진이 다용도실에서 이어폰을 빼며 나왔다.

"누구 왔다 가셨어요?"

"아, 백 사장님 아버지가 편찮으셔서 카페 정리하고 시골로 내려가셔야 한대. 그래서 인사 좀 했어."

"그래요? 조금 친해지려니까 다시 가시네요."

"그러게."

여름의 끝자락에 다시 이별의 그림자가 다가왔고, 하영의 마음이 편할 수는 없었다. 하지만 또 다른 인연이 찾아올 것을 기대하며 마음을 정리하고 있었다. 여름이 더 빨리 지나가는 기분이었다.

8

여덟 번째 위로,
이 길이 내 길인가

괜찮아. 네 길이니까 네가 가는 거야.
누군가의 길을 따라가는 게 아니라
네 길을 가면 되는 거야.
네가 행복하면 되고,
네가 가고 싶은 길이면 돼. 그거면 된 거야.

가을로 접어든 공원에 나뭇잎이 조금씩 떨어지기 시작했다. 단풍나무가 조금은 있었기 때문에 '가을의 정원'까지는 아니더라도 '붉은 공원'이라고 불리고 있었다. 카페에는 이제 단골이 생기기 시작했고, 공원에서는 각종 공연이 기획되었다. 물론 분위기와 사람의 수는 봄보다는 덜 했다. 하지만 예전보다는 더 나은 가을을 즐길 수 있었다.

하영은 테라스 난간에 기대어 가을의 하늘을 바라보고 있었다. 얇은 외투를 걸치니 가을바람이 춥게 느껴지지는 않았다.

"벌써 가을이네. 뭘 했다고 이렇게 시간이 금방 지나가는지."

하영의 카페 안에는 손님이 두세 분 정도가 있었지만 위로받기 위해 온 손님이 아니었기에 편하게 밖에서 있을 수 있었다. 태진은 바쁘게 커피를 내리고 있었고, 손님은 서로의 할 일을 하고 있었다.

"선배님, 좀 도와주세요."

태진이 문을 열고 하영에게 도움을 청했지만, 그녀는 가볍게 거절했다.

"난 커피도 못 내려. 손님이 차를 마신다고 하면 내가 도와줄게."

"그러실 거면 추천 메뉴에 왜 커피를 적으신 거예요."

"내 마음이야."

"하…. 내일은 추천 메뉴에 차를 적어요."

"내일 마시고 싶으면 적을게."

"……."

하영은 갑자기 공원으로 가더니 손에 커다란 낙엽 몇 개를 가지고 왔다. 그리고는 메뉴판에 살짝 가져다 대더니 태진에게 물었다.

"우리 양면테이프 있었나?"

"몰라요."

태진은 아까의 대화에 살짝 삐져있었다. 하지만 하영은 달래줄 생각 따위는 없었다. 그저 낙엽을 이리저리 움직이며 메뉴판에 대고 있을 뿐이었다.

"없으면 사 와야지."

"일단 찾아볼게요. 조금만 기다려 주세요."

태진은 하영의 성격을 알기에 다시 삐진 마음을 풀고 테이프를 찾으러 다용도실로 들어갔다. 그때, 한 여학생이 카페로 들어오려다가 발걸음을 머뭇거렸다.

"커피 마실래요?"

하영은 최대한 살갑게 그녀를 맞이했지만, 그녀는 사람이 많은 것이 불안한 것처럼 쉽사리 들어오질 못했다.

"아, 괜찮아요. 들어와요."

"저, 얘기하고 싶은 게 있어서요."

하영은 그녀의 한마디에 단번에 위로가 필요한 손님이라는 것을 알아챘다. 그리고 그녀에게 조용히 얘기했다.

"어차피 있다가 점심시간에 문을 잠깐 닫을 거예요. 그때 와요. 문 두드리면 열어줄게요."

"얼마나 걸릴까요?"

"지금 11시 20분이니까. 30분만 기다려줘요."

"알았어요. 그때 다시 올게요."

여학생은 공원으로 가 벤치에 앉고서 앞만 바라보고 있었다. 이따금 고개를 이리저리 돌리는 모습이 많이 피곤한 것 같았다. 하영은 그녀의 모습을 보고 카페로 들어가 태진에게 말했다.

"태진아, 있다가 점심시간에 너 혼자 갔다 와. 그리고 근처 김밥집에서 김밥 한 줄만 사다 줘."

"테이프 찾으시다가 웬 김밥이요? 괜찮으시겠어요?"

"괜찮으니까 한 줄만 사 줘. 돈은 내가 나중에 줄 테니까. 그리고 한 50분쯤에 들어와. 너무 일찍 오지는 말고."

"아니에요. 배고프실 텐데 30분에는 올게요."

"아니, 일찍 와도 50분. 더 늦으면 더 좋고."

태진은 그녀의 말이 이해되지 않았다. 갑자기 어떤 연유로 점심시간에 늦게 와도 된다고 하는지 모르지만, 하영이 그렇다고 하니 따를 수밖에 없었다.

"알았어요. 대신 무슨 일 있으면 연락 주세요. 얼른 달려갈게요."

"그래, 알았어."

손님이 하나둘씩 나가고 53분이 되자 하영은 카페 문을 열고 학생에게 손짓했다. 그녀의 손짓을 알아본 학생은 가방을 메고 카페로 천천히 걸어왔다. 학생이 카페로 들어오자, 하영은 점심시간 표지판을 걸어놓고 문을 잠갔다.

"일단 여기 앉아요. 커피 마실래요?"

"제가 커피는 조금 싫은데 다른 게 있을까요?"

"그럼 고구마라떼 어때요? 달콤해요."

"그걸로 주세요."

"조금만 기다려요. 편하게 앉아있어요."

학생은 음료를 기다리며 카페를 둘러보았다. 다른 카페들과의 차이점이 많이 드러났다. 카페들 사이에서 혼자만 다른 시간이 흐르는 것 같은 느낌이었다. 이윽고 우유를 데우는 소리와 함께 고소한 향이 나고 그 위를 고구마의 달콤한 향이 덮었다. 그리고 하영이 하얀 머그잔을 탁자 위에 내려놓았다. 그 안에는 노란 고구마라떼가 따뜻함을 유지하며 들어있었다.

"향 괜찮죠? 맛도 있으니까 천천히 마셔요. 맞은편에 앉아도 될까요?"

여학생은 따뜻함을 느끼기 위해 머그잔을 두 손으로 잡았고 하영의 말에 고개를 끄덕였다. 작은 끄덕임이었지만 하영은 그 고갯짓을 보고는 맞은편에 앉으려 의자를 꺼냈다.

"무슨 일이 있었어요? 힘들다면 얘기 안 해도 돼요."

"너무 힘들어요. 제가 제대로 하고 있는지 모르겠어요."

"공부에 대해 말하는 건가요? 아니면 다른 뜻이 있을까요?"

"모두요. 공부도 그렇고 진로도 그렇고. 그냥 모든 것에 확신이 안 들어요. 실패하면 어쩌나 고민도 되고, 너무 힘들어요."

"흠, 그러니까 지금 걷고 있는 길이 내 길이 아닌 것 같다. 이거죠?"

"네, 맞아요. 어떤 길을 가야 성공할지 알고 싶어요."

성공으로 가는 길 모든 사람이 알고 싶지만 절대로 알 수 없다. 예언가가 아닌 이상 어떤 사람의 성공으로 가는 길을 알고서 얘기해 줄 수는 없다. 하지만 그 질문을 하는 사람이 이상한 것은 아니다. 지금의 길이 막막하게 느껴지기에 물어보는 것이기에 어찌 보면 당연하다. 성공하고 싶지 않은 사람이 어디에 있겠는가. 하영은 여학생의 질문에 자신의 모습을 보았다. 그녀 또한 답답한 과거를 겪었기에 여학생의 질문이 과거의 자신이 미래의 자신에게 물어보는 질문처럼 느껴졌다.

"일단, 저는 예언가가 아니니까, 해답을 쉽게 줄 수는 없어요. 그건 알고 있어야 해요."

"네. 알아요."

"흠, 어디서부터 얘기해야 할까요? 혹시 나이가 어떻게 되나요?"

"고등학교 2학년이에요."

"음, 한창 진로에 대해 고민하고 있을 나이네요. 혹시 주변에서는 뭐라고 해요?"

"다 달라요. 대학을 가라는 사람도 있고, 취직하라는 사람도 있고요. 그래서 더 헷갈려요."

하영은 말을 그냥 쏟아낸다고 될 상황이 아니라는 것을 깨닫고 일단 그릇부터 만들기로 했다. 아주 튼튼한 그릇을.

"학생이 하고 싶은 건 뭐예요? 미래 생각 하나도 하지 말고, 하고 싶은 거 말이에요."

"수의사요. 제가 동물을 좋아하거든요. 그래서 어렸을 때부터 수의사가 되고 싶었어요."

"제가 질문을 다시 할게요. 하고 싶은 게 뭐예요? 직업 말고."

"직업 말고요? 그럼 하고 싶은 게 뭐가 있어요?"

하영은 진지한 표정으로 그녀에게 설명을 해줬다.

"직업은 나중에 골라도 안 늦어요. 일단은 어느 길을 걷고 싶은지 물어보는 거예요."

"어떤 길이요? 저는 잘 모르겠어요."

"지도를 보지 말고 가고 싶은 길을 가는 거예요. 미지를 탐험하는 탐험가처럼 말이에요. 그리고 사람들이 얘기하는 것은 손전등이나 의약품으로 여겨야지, 보물 지도처럼 여기면 안 되는 거예요. 학생의 길이잖아요."

여학생은 잠시 고개를 숙이더니 무슨 소리인지 이해가 되지 않는다고 말하며 음료를 한 모금 마셨다.

"흠, 조금 쉽게 얘기해 줄게요. 우리는 각자의 길을 걷고 있죠. 각자의 길은 모두 달라요. 그런데 옆 사람이 저 길이 좋다고 저기로 가라고 한다면 가고 싶나요?"

"아니요."

"그거예요. 내 길은 내가 걷는 것이지 상대방이 걷는 게 아니에요. 그러니까 자기가 가고 싶은 길로 가면 되는 거예요. 다른 사람들 말은 조언으로 받아들이고 길의 목적지로 정할 필요는 없다는 거예요. 이러면 조금 이해가 됐을까요?"

여학생은 고개를 끄덕였지만, 이해하기 어려운 말이라는 것을 하영도 알고 있었다. 그녀도 예전 아주머니의 말을 이해하지 못했기에 여학생의 마음을 잘 알고 있었다. 말로 표현하지 못하는 막막함은 어떻게 푸는 방법이 없었다.

"제가 가고 싶은 길을 가다가 길을 잃어버리면 어떡하죠? 그게 무서워요."

"무서운 게 당연한 거예요. 앞에 뭐가 있는지 아무도 모르니까요. 하지만 가는 길의 경치는 예쁘죠. 내가 원하는 길에 있는 경치니까요."

"제가 가고 싶은 길이 뭔지 모르겠어요. 저는….."

"가고 싶은 길을 걷다가 아니다 싶으면 다시 다른 길로 가도 되고 또 다른 길로 가도 되는 거예요. 고른 길로 평생 가라는 법은 없으니까요."

하영은 학생의 고민을 덜어주기 위해 노력했다. 위로보다는 걱정의 늪에서 구해주는 것이 우선이었다. 걱정으로 사로잡힌 아이들은 좋지 않은 길에도 쉽게 유혹되어 걸어갈 수 있으므로 그런 일은 없도록 만들어 주어야 했다. 하지만 하영의 말로는 쉬운 일이 아니었다.

"지금 제가 한 말. 듣기 싫으면 안 들어도 돼요. 자신의 길은 자신이 찾는 거니까요."

"쉽게 찾는 방법이 있을까요?"

"쉬운 방법은 없어요. 그러니까 자신을 믿어요. 그 방법밖에는 없어요. 자신을 믿고서 자신이 가고 싶은 길을 가는 거예요."

"제가 저를 못 믿겠어요. 성적도 안 좋으니까."

"성적은 길을 찾기 위한 도구가 아니에요. 성적표 들고서 길을 찾을 수는 없죠. 나침반이 필요한 거죠. 그리고 그 나침반의 바늘은 자신한테 있어요."

"잘 모르겠어요. 죄송해요."

"아니에요. 지금 학생의 나이는 자신을 찾아가는 시간을 가져야 하는 나이에요. 모른다고 잘못했다고 얘기하는 게 아니라, 몰라야 정상인 거예요. 자신의 길을 태어나자마자 정해서 걷지는 않잖아요. 그러니까 천천히 찾아서 걸으면 되는 거예요. 사과하지 말아요."

하영의 말이 끝나자, 여학생은 닭똥 같은 눈물을 흘리기 시작했다. 하영은 그녀의 눈물에 당황스러운 듯 손을 이리저리 움직였다. 학생은 소매로 눈물을 닦고는 울먹이며 말을 이어갔다. 그녀의 모습은 마치 하영의 모습과 판박이였다. 울고 있는 모습도 붉게 달아오른 뺨도 마음이 걱정으로 가득한 것도 모두 하영과 닮아 있었다.

"제 길은 없는 것 같아요. 어떻게 해야 찾을 수 있을지 모르겠어요. 모든 곳이 제 길이 아닌 것 같고, 제 앞에는 아무것도 없어요."

"길을 찾는다고 금방 찾는 게 아니에요. 길은 수만 가지의 갈래로 되어 있어요. 거기서 자신이 걸어야 할 하나의 길을 찾는 것은 시간문제가 아니에요. 모든 사람이 모르는 상태에서 자신의 길을 찾은 것처럼 학생도 찾을 수 있어요. 그러니까 아무것도 없다고 단언하지 말아요."

이런 말로는 학생의 걱정을 한 줌도 덜 수 없다는 것을 알고 있는 하영은 학생에게 속삭이듯 작은 목소리로 얘기했다.

"길을 찾는 건 오래 걸려요. 그러니까 힘들 때마다 여기에 와요. 언제든 괜찮으니까 와서 같이 얘기해요. 알았죠?"

"네."

여학생은 고개를 살짝 떨구고는 하영의 말에 대답했다. 목소리도 작아서 하마터면 대답을 듣지 못할뻔했다. 하영은 그녀의 대답을 듣고는 남은 라떼를 종이컵에 담아주었고, 학생은 카페 문을 열고 천천히 걸어나갔다. 하영이 그녀가 갈 때까지 지켜보았고, 반대편에선 태진이 검은 봉투를 하나 들고서 걸어왔다. 태진이 하영의 모습을 보고는 봉투를 빙빙 돌리면서 달려왔다.

"저 학생이에요? 점심시간 건너뛴 이유가?"

"응. 생각보다 일찍 왔네."

"선배님 커피 못 내리시잖아요. 혹시라도 손님들이 차를 마시고 계실까 봐 늦게 오지는 못하겠더라고요."

"그렇다면 커피 만드는 방법을 알려줘. 해볼 테니까."

"왜 이렇게 적극적으로 바뀌었어요? 맨날 제가 알려준다고 해도 싫다고 하셨잖아요."

"저번에 네가 전에 일주일 동안 아파서 쉬었잖아. 그동안 정말로 차만 타 드렸거든. 그래서 배워야겠다고 생각했는데, 왜? 알려주기 싫어?"

"아니요, 저야 좋죠. 얼른 들어오세요. 제가 천천히 알려드릴게요."

"천천히는 무슨. 빠르게 알려줘. 내가 너보다 잘할 테니까."

태진이 피식 웃으며 카페 문을 열었고, 하영이 먼저 카페로 들어가 앞치마를 둘러멨다.

"커피 내리는데 앞치마까지 메요? 그냥 해요."

"그냥 하기는. 배우는 태도로 메는 거지. 그리고 나 흰색 옷이거든? 커피 튀면 네가 사 줄 거야?"

"얼만데요?"

"네가 알아서 뭐 하게. 이미 앞치마 멨으니까 됐어. 자, 어떻게 하는데."

"그러니까 이거를 이렇게 하고…"

하영이 커피를 배우는 모습은 낯설게만 느껴졌다. 긴장한 듯 뻣뻣해진 몸에서 카페 사장님의 모습은 보이지 않았다. 아니, 애초에 하영에게 그런 모습은 보이지 않았지만, 지금만큼은 조금도 보이지 않을 정도였다. 태진은 그녀에게 친절하게 알려주었고, 그녀는 곧잘 따라 했다. 그리고 완성된 커피를 그녀가 마셔보았다. 태진이 만든 커피보다는 더 쓸쓸했지만 그래도 성공적이었다. 무심하게 창가에 앉아있는 그녀가 커피를 내리는 것은 크나큰 발전이었다.

"어때, 괜찮지?"

"처음부터 이 정도면 잘하는 거예요. 기계가 다 하는 거지만…."

"야, 칭찬 좀 해줘라. 고래가 춤 좀 추겠다는데, 좀 해줘라."

"선배님도 잘 안 해주시잖아요."

"칭찬은 가끔 해주는 게 좋으니까. 그래야 약이지, 과유불급이라고 많아지면 독이 된다고."

"독이 돼도 괜찮으니까 걱정하지 말고 많이 해주세요. 저는 선배님의 칭찬에 늘 목이 마른 아이니까요."

"으휴, 됐어. 내 칭찬을 받아서 뭐 하겠다고. 내 칭찬 많이 받으면 누가 트로피를 준대?"

"그렇게 얘기하셔야 성이 풀리죠? 알았습니다. 선배님의 마음 잘 알았습니다."

"또 삐졌어? 에휴, 알았다. 잘했다. 잘했어."

그렇게 둘의 장난으로 가득한 대화가 오가며 시간은 빠르게 흘러갔다. 시간이 빠르게 흐르니 하영의 카페가 다른 곳보다 손님이 없다는 사실을 몸으로 느낄 수 있었다. 다른 곳은 커피의 향이 끊이질 않고, 손님들의 대화로 조용할 틈이 없지만, 하영의 카페는 하영과 태진의 대화 소리를 제외하면 아무 소리도 들리지 않았다.

"우리 다른 거라도 할까?"

"뭘요? 경치 구경하자면서요. 제가 그렇게 물어볼 때는 매번 그렇게 얘기하시더니 갑자기 왜 이렇게 바뀌셨대요?"

"뭐, 사람이 바뀔 수도 있는 거지. 왜 이렇게 뭐라고 해서 사람을 무안하게 만들고 있어?"

"아니, 그런 뜻이 아니라, 방금 건 장난이잖아요."

하영은 창가 자리에 앉으며 태진의 말을 무시했다. 이것은 하영이 장난을 치고 있다는 표시였다. 태진은 이에 편하게 맞은편에 앉아 그녀가 내린 커피를 마셨다. 살짝 쓸쓸한 맛에 표정이 일그러졌지만, 그녀는 못 본 것 같았다.

"그런데 아까 그 여학생 말이에요. 어떤 얘기를 하고 간 거예요?"

"어떤 얘기? 왜 궁금해?"

"아니, 무슨 얘기를 했길래 점심시간까지 포기하면서 했냐는 거죠."

"중요한 손님이었어. 엄청 중요한 질문이 하고 싶은 손님이었지."

"그 여학생이요? 궁금하게 만들지 말고 좀 시원하게 얘기해주세요. 선배님이 그렇게 얘기하시니까 더 궁금해지잖아요. 무슨 추리소설 작가도 아니고 자꾸 돌려 얘기하는 거예요?"

"넌 몰라도 되는 얘기야. 너도 가졌을 법한 질문이었으니까."

"선배님, 저랑 스무고개를 하고 싶으신 거예요? 좀 알려달라니까요?"

"어차피 또 올 거니까 그때 들어. 그때 들어도 안 늦어."

태진은 하영의 말로 미루어 보아 그녀에겐 알려주고 싶다는 생각이 없다는 것을 깨닫고는 물어보기를 포기했다. 하영의 이런 말들은 수없이 들어봤지만, 오늘은 더 심한 것 같았다. 마치 태진에게는 자신의 모든 것을 알려주기 싫어하는 것 같았고, 이번에도 그런 느낌이 들었다.

"알려주기 싫다면 싫다고 얘기해주세요. 괜히 사람 궁금해서 잠도 못 자게 하지 마요."

"누가 알려주기 싫대? 그 학생은 어차피 또 올 거야. 또 그 얘기를 할 텐데, 다음엔 네가 직접 듣고 물어보면 되지."

"온다고 약속했어요? 확실해요?"

"반드시 올 거야. 그 질문은 한 번에 해결되는 게 아니니까."

태진은 대체 '그 질문'이 무엇인지 무척 궁금했지만, 계속 물어봤자 자신만 피곤해질 것을 알고 있으니 다음에 그녀가 오면 얘기를 들어보기로 했다.

"선배님, 그나저나 이제 제가 안 아플 테니까, 선배님은 커피 타지 마세요."

"왜? 맛없어?"

"아니, 그건 아닌데…."

태진의 목소리가 작아졌기에 하영은 그 말의 의미를 알아채고 그의 어깨를 툭 치고 깜짝 놀란 태진의 얼굴을 바라보며 물었다.

"그러면 몸을 튼튼하게 유지해야지. 그렇게 얼굴 찌푸릴 정도로 맛없는 커피를 손님에게 드리기 싫다면 말이야."

"보셨어요?"

"내가 뭐 모르는 게 있었니? 네가 어디서 뭘 하든 다 알거든?"

아직 오후 3시지만 손님은 올 기미가 보이지 않았다. 아마 선선한 가을 날씨에 다른 곳으로 놀러 갔기 때문일 것이다. 다른 카페도 손님이 잘 오지 않아 사장님들도 공원을 이리저리 돌아다니고 있었다. 붉은색 단풍나무가 심어진 공원 한구석에는 근처 유치원에서 야외 활동을 나온 아이들이 뛰어다니고 있었다. 아이들의 손에는 자신의 손보다 더 커다란 나뭇잎이 있었고, 다른 아이들과 크기를 비교하는 아이도 있었다.

"저 나이가 부럽더라. 아무 걱정 없이 살아갈 수 있는 나이."

"저도요. 어렸을 때는 빨리 어른이 됐으면 좋겠다고 생각했는데, 어른이 되니까 너무 힘들어요. 그냥 먹고 자도 근심 없는 어린아이로 돌아가고 싶어요."

"저 때는 길이 아니라 놀이터니까. 우리는 길을 가면서 장애물을 보면 어떻게 피해야 하는지 따지고 계산하고, 바쁜 생각으로 걱정거리를 만드는데, 저 아이들은 다 놀잇감이거든. 우리는 장애물이라고 생각했던 돌멩이는 아이들에게 소꿉놀이 도구고, 다리가 없는 강가도 아이들에게는 물이 흐르는 놀이터거든. 저렇게 생각하고 싶은데, 이제 저런 생각을 하면 손가락질을 받지."

"놀이터라, 오랜만이네요. 놀고 싶다는 생각이 잘못된 건 아닌데, 왜 손가락질을 받아야 하는지 모르겠어요."

둘은 대화를 하다가 지금의 길을 생각하게 되었다. 걱정 없이 뛰어다니던 그때가 좋았지만, 지금은 선택의 연속에 사로잡힌 자신은 문제투성이였다. 온몸은 자책의 손톱으로 여기저기 긁혀있고, 신발은 닳아 거의 맨발이고, 눈은 피곤하다 못해 감길 것처럼 힘이 없었다.

성공의 선택을 하고 싶지만 그럴 수 없다. 갈림길에서의 길은 전부 앞이 안개로 뒤덮여 앞을 볼 수 없었기 때문이었다. 그저 지금 상황에서 제일 나은 선택을 할 뿐이었다. 그 길이 성공이든, 실패든. 일단은 그 구역을 벗어나야 했기 때문에 선택한 길이지만 결국 끝자락에는 자신을 탓하고 있었다. 저 길로 갔다면 성공했을 거라는 채찍은 몸의 성한 곳이 없도록 때리고, 그 고통에 몸부림치며 자신의 선택이 왜 이 길이었는지 울부짖고 있었다.

아마 성공의 길은 없을 거다. 그런 길은 그저 전설 속의 이야기일 수도 있다. 성공한 사람이 과연 성공의 길만 택해서 간 결과인 건가. 아닌 사람이 많을 테다. 고난의 길을 택했지만, 그 길을 묵묵히 걷고서 아픔을 견디며 더 나은 선택이 무엇인지를 배운 사람이 성공한다는 이야기를 많이 들어봤을 텐데, 그게 입에서 입으로 전해지면서 '성공의 길'이라는 이름이 붙어 많은 사람이 그 길을 찾는 것 같다.

"선배님, 우리 오늘 일찍 닫을까요? 어차피 사람도 안 올 테니 계속 있어봤자 시간만 아까워요. 저희한테 휴가 좀 주자고요."

"휴가? 그래. 네 마음대로 해. 대신 내일은 너도 점심시간 없어."

"네? 왜요?"

하영은 고개를 확 돌리며 태진을 바라보았다. 태진은 그녀의 시선에 깜짝 놀라며 뒷걸음질을 쳤다.

"너도 궁금하다며. 그 여학생. 그러니까 아침 든든하게 먹고 와. 점심 둘 다 건너뛰거나 아니면 늦게 빵이라도 먹을 거니까."

"깜짝이야. 알았어요. 그런데 왜 이렇게 비장하게 얘기해요? 깜짝 놀랐잖아요."

"내 마음이야."

다음날이라고 하기에는 같은 날씨와 같은 온도의 바람이 부는 날이었다. 나무도 똑같이 붉은색이었지만 그 밑에 낙엽이 조금 더 쌓였다는 것밖에는 다른 게 없었다. 태진은 입맛을 다시며 하영에게 물었다.

"오늘 오는 거 맞아요? 배고파요."

벌써 시계는 12시 30분을 향해 달려가고 있었다. 하영은 밖만 바라보고 있었는데, 아마 여학생을 기다리고 있을 테다.

"흐음, 오늘 무슨 일이 있는 건가?"

"선배님이 추리소설 작가처럼 돌려서 얘기하니까 그런 거예요. 어린 학생한테는 너무 어려운 말이었을 거예요."

"너는 내가 한 말도 들어보지도 않고 나한테 뭐라고 그래? 서운하다."

"아니, 그런 뜻이 아니잖아요. 어, 저 학생 아니에요?"

태진이 어딘가에 손가락을 뻗어서 가리키고 있는데, 그 끝에는 여학생이 있었다. 카페로 들어올지 말지 고민하는 것처럼 보였는데, 하영이 카페 문을 열자, 학생은 인사를 하고는 카페로 다가왔다.

"안녕하세요. 들어가도 되나요?"

"그래, 들어와. 기다리고 있었어."

"저분은 누구세요?"

"아, 우리 카페 직원이야. 친절하니까 걱정하지 마."

여학생은 창가 자리에 앉고 메고 있던 가방을 옆자리에 놓았다. 가방의 두께가 두꺼운 것이 아마 교과서와 문제집이 들어있는 것 같았다.

"오늘 무슨 일이 있었니? 늦게 오길래 오늘은 안 오는 줄 알았어."

"그게, 숙제가 많아서, 하느라 조금 늦었어요."

"흠, 숙제라. 주말에도 뭔가 하는 게 많나 보네. 다른 일 때문에 힘들면 다음에 와도 돼. 나를 만나는 것보다 중요할 테니까."

"아니에요. 괜찮아요. 주말엔 조금 쉬고 싶은데 집에서는 쉴 수가 없어서 여기로 나온 거예요."

"그래서 어제 얘기한 건 어땠어? 조금은 이해가 됐어?"

"아직 잘 모르겠어요. 제 질문이 그렇게 심오한 질문인지는 모르고 있었어요. 그래서 집에서 계속 곱씹어 봤는데, 아직도 잘 모르겠더라고요."

"괜찮아. 언니도 그랬거든. 나도 성공을 찾고 싶었는데, 성공은커녕 행복도 찾기 힘든 시간뿐이었어. 누군가가 내 행복을 전부 앗아간 것 같았고, 계속 울면서 행복의 길을 찾아다녔지. 어떻게 해야 길을 찾을 수 있을까 걱정하면서 말이야."

"그래서 찾았어요?"

"아니, 아직도 찾으며 걷는 중이야. 아직 내 상처가 모두 아물지는 않았거든."

"상처요? 무슨 상처길래 그래요?"

"아주 큰 상처. 그것도 두 개나. 아니, 같은 상처가 두 번이나 생겼다고 해야 하나?"

"저는 아직 상처는 없는 것 같은데, 너무 힘들어요. 길을 못 찾겠어요."

"흠, 오늘은 무슨 얘기를 해줘야 하나? 조금 더 쉽게 얘기하려면…."

"안녕, 내 이름은 태진이야. 혹시 이름이 뭔지 알려줄 수 있니?"

"저요? 저는 세희예요. 정세희."

"세희야. 내가 얘기해도 될까? 나도 길을 헤맨 적이 있거든."

하영이 말을 하려던 찰나에 태진이 끼어들어 여학생의 이름을 물었다.

세희는 당황스러웠지만, 그의 표정을 보고는 그의 제안을 거절하지는 않았다. 하영은 갑자기 끼어든 태진의 머리를 한 대 쥐어박으려고 했지만 어떤 말을 할지 궁금해서 말리지 않기로 했다.

"길을 잃었다는 게 많이 무서운 건 당연한 거야. 미아가 됐을 때, 울지 않을 자신이 없거든. 어떤 장소에서 길을 잃은 것도 무서운데, 내 인생에서 길을 잃었다는 건 얼마나 공포로 다가올지 알고 있어. 아마도 모든 사람이 그 감정을 알고 있을 거야."

"무서워요."

"맞아. 무섭지. 내 앞에 어떤 일이 벌어질지 모르겠고, 누구를 만날지 모르겠어. 그냥 새하얀 안개로 가득한 곳이지. 그런데 앞에 뭐가 있을지 궁금하지 않아?"

"궁금하다고요? 뭐가요?"

"저 앞에 무엇이 있을지 말이야. 어떤 보물이 있길래 이렇게 길이 험하고 어려운 걸까 고민이 되지 않아? 영화를 봐도 끝에 좋은 보물이 있을수록 함정이 거대하고 어렵잖아. 그게 만약 내 길이라면 대체 어떤 보물이 있길래 힘들게 하는 걸까?"

"……."

"힘든 건 모두가 알아. 쉬운 길은 없어. 우리는 목표를 향해 나아가야지 그냥 동네 산책길 걷듯이 가자는 게 아니야. 상처가 생길 수도 있고, 울 수도 있어. 원래 이 길이 어려운 거야."

"저는 그냥 겁나고 그래서…."

"나도 겁이 났어. 아버지가 돌아가시고 어머니가 편찮아지셔서 내가 가정을 이끌어 가야 했어. 그런데 가정을 이끌어 가려면 어떻게 해야 하는지 학교에서는 안 알려주니까 답답했지. 그냥 사회라는 공간에 툭 버려진 아무것도 모르는 아이에게 사회는 무섭고 커다란 곳이었지."

"많이 힘드셨겠네요."

"그런데 나보다도 더 힘든 사람이 있지. 바로 세희처럼 말이야. 중요한 문제 앞에 서 있잖아. 그것보다 더 힘들고 어려운 건 없지. 네 마음 잘 알아. 가끔은 모든 걸 포기하고 싶고, 또 가끔은 앞으로 가고 싶은데 정답은 없고 막막하지. 두 갈래 길도 아니고 여러 갈래로 갈라져 있으니 어려울 수밖에 없지. 그런데 옆에서는 어서 정하라고 어서 가라고 재촉하는 말뿐이니 스트레스도 꽤 받았을 거야. 네 마음 잘 알아."

"……."

"괜찮아. 네 길이니까 네가 가는 거야. 누군가의 길을 따라가는 게 아니라 네 길을 가면 되는 거야. 성공의 길은 없어. 네가 행복하면 되고, 네가 가고 싶은 길이면 돼. 그거면 된 거야."

"……."

"주변에서 뭐라고 해도 네 길을 가면 돼. 사람들은 가끔 목표를 대신 정해주거든. 돈을 잘 버는 직업을 해라. 기술을 배워야 한다. 대학을 가야 한다. 다들 여기저기서 조언의 허물을 입은 강요를 하지. 물론 그중에는 정말로 너를 위해서 하는 조언도 있겠지만, 네가 내키지 않는다면 안 해도 돼. 그건 그 길을 걷고 싶은 사람들이 하는 거지, 길을 잘 걷고 있는 사람한테 이래라저래라 해도 되는 게 아니란 말이지."

"조언의 허물을 입은 강요…."

"그래, 그 강요에 꺾이지 마. 만약 누가 말하는 길을 가다가 절벽을 만났어. 그럼 누구 탓을 해야 할까? 그 길로 가라고 한 사람? 만약 그 사람한테 뭐라고 하면 네가 잘못해서 그렇다고 오히려 너를 탓할 거야. 그런데 네가 가고 싶은 길을 가다가 절벽을 만난다면, 이 길이 내 길이 아닌 것 같다는 생각을 하고서 다시 돌아오면 돼. 너한테 시간은 많으니까. 한 번 간 길로 계속 가야 한다는 규칙은 없잖아. 언제든지 돌아오면 돼."

"무슨 얘기인지 알겠어요. 제 길을 가라는 거죠?"

"맞아. 아마도 어제 이 언니가 그렇게 얘기했을 거야. 그런데 이해하기 어려운 말로 했을 테니까. 맞지?"

태진의 말이 끝나기 무섭게 하영이 그를 째려보았다. 세희는 그녀를 보다가 웃음을 터뜨렸다. 작은 웃음소리였지만 처음으로 들은 웃음소리였기에 하영은 좋게만 들렸다.

"맞아. 내가 좀 어렵게 얘기하는 감이 있거든. 마치 추리소설 작가처럼 말이야. 그렇지?"

"맞아요. 선배님. 이제 아신 건가요?"

"그래, 우리 후배님 덕분에 이제 알았네. 내가 고칠게."

하영은 가벼운 미소를 지었지만 누가 봐도 어금니를 꽉 깨물고 있는 것처럼 보였다. 아마 세희가 카페를 나가면 비명이 들릴 것 같았다.

"오빠, 괜찮겠어요? 저 언니 무섭게 째려보시는데?"

"응?"

태진은 이제야 하영을 보았고, 자신이 무슨 일을 저질렀는지 알아버렸다. 하영은 옆에 있던 태진의 다리를 살짝 꼬집고는 광대가 슬쩍 올라가는 것이 마치 나중을 기대하라는 경고처럼 느껴졌다.

"세희야, 있다가 같이 나갈까? 바람 좀 쐬면서 얘기하자."

"어딜 가게? 우리 후배님? 여기서 커피 만들어야지?"

"아니에요, 세희가 할 말이 있다고, 그치?"

세희는 고개를 저었고, 하영은 고개를 끄덕였다. 태진은 침을 꿀꺽 삼켰으며 하영의 옆에서 혼난 강아지처럼 쭈그려 있었다.

"세희야. 이렇게 얘기한다고 중요한 질문이 풀리지 않을 거라는 건 알고 있어. 언니도 그랬으니까. 얘기로 풀릴 거면 이러고 있지도 않았을 테니까. 그러니까 힘들면 언제든지 와. 알겠지? 언제든지 얘기해줄게."

"맞아. 여긴 언제든지 와도 환영이야. 그러니까 언제든지 와."

"감사합니다."

세희는 자리에서 일어나 옆자리에 있던 가방을 다시 메고 카페를 나섰다. 가방을 내려놓은 아까는 공부의 짐을 내려놓았지만, 다시 그 짐을 어깨에 짊어져야 하는 그녀는 미소를 띠었지만 힘들어 보였다.

"죄송합니다."

"아니야, 용서해 줄게. 그런데 생각보다 말 잘하네?"

"선배님이 얘기하시는 걸 어깨너머로 배워서 그런 거죠 아직 선배님처럼 되기에는 멀었습니다."

"맞지. 아직 하산하려면 멀었어. 그때까지 청소 열심히 하고 커피 열심히 내려. 아프지 말고."

"알았어요."

가을이 깊어지며 여름에는 모습을 감추었던 추위가 다시 슬금슬금 나타나기 시작했다. 벌써 겨울이라고 하기에는 빠르지만 추위에게 우리가 쓰는 달력은 무용지물일 뿐이다. 겨울이 빨리 오고 싶다고 하면 빨리 오는 것이고, 늦게 오고 싶다고 한다면 늦게 올 테다. 하지만 아직은 가을이라고 나무들이 나뭇잎을 아직 붙잡고 있고, 드높은 하늘은 뜨거운 해를 품고 있다. 살짝 추운 가을. 카페에서 있기 딱 좋은 날씨에 손님이 늘어나 하영의 카페에는 하루에 많으면 10명이 올 때도 있었다. 물론 세희도 주말에 와서 둘과 얘기를 나누었다. 혼자만 끙끙대며 가지고 있던 질문이 세희를 힘들게 하고 있었다. 하지만 더는 힘들지 않기를 바라며 둘은 할 수 있는 모든 얘기를 나누었다.

9

아홉 번째 위로,
쉴 수 있다면 쉬었으면 좋겠다

그냥 경주마 그 자체였지.
앞에 뭐가 있는지도 모르고 채찍질을 하니까 달렸어.
무조건 직진을 하면서 경치를 보지도 못했고.
사람들과 얘기도 하지 못했어.
그게 한이 되니까 경치도 보고 싶고,
사람들과 얘기도 하고 싶은 거야.

"세희야. 혹시 매주 주말에 올 거면 여기서 일할래? 약간 주말 아르바이트 같은 개념으로 말이야."

하영이 갑자기 세희에게 놀랄 만한 제안을 했다. 이는 태진이 잠시 화장실을 갔을 때 벌어진 일이었다. 하영은 계속 얘기하고 싶었지만, 예전에 주학 아저씨한테 직원에 관해 얘기했을 때의 그의 반응을 기억하고 있어서 그가 없자 바로 말을 꺼냈다.

"네? 아르바이트요?"

"그래, 매번 부모님께 공부한다는 거짓말까지 하면서 오는 건 조금 그렇잖아. 그러니까 아르바이트를 한다고 얘기하고 가볍게 여기에 와. 그렇다고 너한테 커피를 만들라고 하지는 않을 거야. 너는 그냥 여기 있으면서 쉬면 돼. 그게 네 일이야. 공부라는 길에서 잠시 쉬는 것. 어때?"

"어… 그래도 될까요? 괜히 신경 쓰지 않아도 돼요."

"아니, 거짓말은 안 되니까. 조금이라도 편하게 오가려면 그 얘기를 해. 책가방도 무겁잖아. 언제까지 무거운 걸 메고 다닐 거야?"

"그래도… 부모님이 허락해 주실까요?"

"대학 등록금 준비. 부모님이 대학 갔으면 좋겠다고 얘기하셨지? 나도 그랬거든. 대학 등록금을 미리 준비하기 위해 아르바이트를 한다고 해."

"과연 그래도 될까요? 그것도 거짓말 아니에요?"

그때, 태진이 볼일을 보고 돌아왔고, 하영은 애써 그의 시선을 무시했다. 세희는 그녀의 행동이 궁금했지만, 태진이 그녀가 이상한 계획을 세우고 있다는 것을 알아챈 덕분에 물어볼 필요는 없었다.

"선배님, 또 무슨 계획을 세우고 계신 거예요? 또 그 시선 피하면서 창문 보는 거 봤어요."

"무슨 계획은 무슨 계획. 내가 무슨 악당이니? 내가 뭐 지구를 정복하겠다는 계획을 세울까 무서워서 그래?"

"세희야, 언니가 무슨 얘기 했어?"

세희는 태진의 질문에 고개를 잠시 하영 쪽으로 돌리고는 미소를 지으며 그냥 어제 무슨 일이 있었는지 얘기했다는 식으로 둘러댔다. 태진은 더 물어보려고 했지만, 세희가 거짓말을 할 거라는 생각이 들지 않아서 물어보지 않았다.

"세희야. 꼭 하란 말은 아니고, 네가 원하는 대로 해. 이건 네 길이야."

하영의 말에 세희는 깊은 고민에 빠질 수밖에 없었다. 일단 아르바이트를 뽑을 정도로 카페에 손님이 많이 오지는 않았다. 세희는 주말만 카페에 와봤지만 많아야 7명 정도였다. 그 정도 손님에 3명의 직원은 고등학생이 생각해도 수지타산이 맞지 않았다. 그리고 부모님이 이런 일에 쉽게 허락해 주지는 않다는 이유도 있었다. 게다가 그 어떤 이유보다 자신이 방해될 것 같았다. 카페에 대해서 아무것도 모르는 학생을 아르바이트로 뽑아준다니, 그것도 얘기를 얼마 나누지도 않은 사람의 호의를 요즘 세상에 좋게 받아들일 수는 없는 노릇이었다.

"선배님, 차 한 잔 드실래요? 녹차를 마시고 싶네요."

"네가 타."

"차는 선배님 담당이잖아요."

"칫, 좀 해주지."

하영은 마지못해 일어나는 척을 했지만 모두 세희를 위한 것이었다. 카페의 분위기를 조금이라도 보여주기 위해서였다. 사장과 직원의 관계가 아닌 사람과 사람의 관계를 짓자는 뜻이었다. 세희가 보고 있기는 했지만, 그녀가 하영의 행동을 이해했을지는 미지수였고, 이해했다고 하더라도 마음이 바뀌지는 않을 테지만, 하영은 조금이라도 그녀가 웃을 수 있도록 도와주고 싶었다. 마치 아주머니가 하영을 도와주었던 여름날처럼. 그녀가 웃는 얼굴만 하기를 바랐고, 이제야 아주머니의 마음이 이해되기 시작했다. 이름도 모르던 소녀를 지극정성으로 도와주던 아주머니의 마음씨가 자신에게도 있을 줄은 몰랐다.

"그래, 웃으면 돼. 그거면 돼."

"네? 뭐라고요?"

태진은 하영의 속삭이듯 얘기한 작은 말소리를 어떻게 들었는지 그녀에게 되물었다.

"아냐, 너한테 한 거 아니니까 무시해."

"정말로 이상한 계획을 세우고 계신 게 아니죠? 나중에 갑자기 저한테 놀랄만한 소식 가져오지 마시고요."

"아니라니까. 진짜 일상 얘기했었어. 세희도 그렇다고 했잖아."

하영의 말이 끝나자, 태진은 세희를 살짝 바라보고는 한숨을 푹 내쉬고는 세희에게 다가갔다. 그리고 앞치마를 벗어 탁자 위에 두고는 세희에게 말을 걸었다.

"또 선배님이 아르바이트 얘기를 하셨나 본데, 너무 부담 갖지는 마. 네가 하기 싫다면 안 하면 돼. 하고 싶다면 해. 선택권은 너한테 있어."

세희는 탁자 위에 놓인 주황색의 앞치마에 눈이 자꾸 갔는데, 왜냐하면, 하영처럼 부드러운 하루를 보내고 싶었기 때문이었다. 하루라도 '공부'라는 구덩이에서 벗어날 기회가 있으면 좋겠다고 생각했지만, 그런 기회는 그녀에게 절대로 일어나지 않을 기적이었다. 지금도 공부에 빠져 죽을 것만 같은데, 몇 년 뒤라도 상황은 나아지지 않을 테고, 그저 반복되는 삶을 살고 있을 그녀의 모습이 머릿속에 그려졌다.

이런 기회를 누가 놓치고 싶겠는가. 봄의 정원 옆의 카페에서 친절한 직원들과 여유로운 시간을 보낼 수 있는 선택이 그녀의 앞에 놓였지만, 그녀는 쉽게 선택할 수 없었다. 그들이 자신을 생각해준다는 것도 알고 있고, 그녀를 위해 어떤 것이라도 해줄 것 같은 사람들이 앞에 있지만, 세희의 손은 바보 같이 앞치마를 붙잡지 못했다.

"어려울 거야. 모든 선택에 스트레스를 받아왔는데 어떻게 덥석 잡겠어. 네 생각이 복잡할 거라는 건 다 알아. 그러니까 오늘이 아니라면 다음 주도 좋아. 아니면 다음 달도 좋고. 중요한 건 그거야. 네 뜻으로 택한 네 길인지 말이야."

하영이 세희를 바라보며 천천히 얘기했다. 태진은 잠시 세희를 보다가 시계를 힐끗 보고는 밖으로 나갔다.

"시간을 주세요. 제가 꼭 대답할게요."

"그래, 언제든지."

하영이 태진의 앞치마를 다른 탁자에 휙 던지고는 세희의 옆자리에 앉았다. 세희는 이 자리가 하영의 애착이 있는 자리라는 것을 알고는 피해주려고 했지만, 하영이 그녀의 어깨를 잡았다.

"앉아도 돼. 비켜달라고 그러는 거 아니니까."

"언니는 왜 사람들한테 친절해요? 그러다가 사기를 당하거나 손해를 보는 거 아니에요?"

"사기? 사기꾼이 와도 위로가 필요하다면 우리 손님이야. 손해를 봐도 위로가 필요한 사람이 온다면 우리는 계속 여기 있을 거야."

"언니 아이디어예요? 사람들을 도와준다는 거요."

"아니, 여기 원래 계시던 사장님이 계셨어. 그분을 이어서 내가 있는 거야. 그분이 정하신 것 그대로."

"이제는 언니가 사장이잖아요. 바꿔도 되지 않아요?"

"여기는 위로의 공간이 되어야 해. 아니면 쉴 수 있는 공간이거나. 내 욕심으로 채울 수 있는 공간이 아니야. 욕심으로 가득 찬 곳에서 위로받을 수 있을까? 이런 생각 한번 해보면 바로 정신 차리고 다시 돌아오지."

하영은 과거의 이야기가 시작되자 턱을 괴고는 느긋한 눈빛으로 그저 앞만 보고 말하고 있었다. 세희는 그녀의 생각이 궁금했기에 질문을 끊지 않고 이어갔다.

"그러면 여기를 예쁘게 만들면 사람들 눈에 띄니까 더 오지 않을까요?"

"나처럼 얘기하네. 나도 사장님한테 물어봤었거든. 여기를 밝게 칠하자고. 칙칙한 갈색으로 해서 손님이 안 오니까 우리도 밝게 칠하자고 했었는데, 그건 손님의 시선으로 바라보기 때문이라는 거지. 다른 목표를 가진즉슨, 위로가 필요한 사람은 오히려 이런 곳이 좋다는 거지. 사람이 별로 없고, 화려한 곳보다는 조용히 있다가 갈 수 있는 곳. 위로와 쉼만 존재하는 곳. 너도 그래서 여기에 왔잖아."

'위로를 위해서'가 풍기는 말로는 형용할 수 없는 분위기가 있었다. 세희도 분명 그 분위기를 느끼고, 하영을 만났던 것이었다. 손님으로 오는 사람들에게는 잘 보이지 않지만, 위로를 위해서 오는 사람들에게는 잘 보이는 곳이었다. 세희도 공원에 자주 왔지만, 이런 카페가 있다는 것은 그때 처음 알았다.

"꼭 나랑 닮았어."

"제가요?"

"응. 내 어렸을 때 같아. 아, 미안."

하영이 말을 하다가 눈을 소매로 가렸다. 누가 봐도 눈물이 나온 상황이었다. 세희는 그녀의 눈물 의미를 모르기에 당황스러웠지만, 하영이 괜찮다고 손을 저었다.

"갑자기 미안해. 옛날 일이 떠올라서. 나도 참, 요즘 들어서 눈물이 많아진 것 같단 말이야. 미안해."

"언니, 괜찮아요?"

"괜찮지. 괜찮아. 정말로… 괜찮아… 정말."

하영이 아무리 진정을 하려고 해도 세희의 얼굴만 보면 눈물이 왈칵 쏟아졌다. 다시 심장은 속도가 느려지고 손이 조금씩 떨렸다. 그 고통이 하영에게 다시 찾아왔다. 전보다는 작아졌지만, 아직 쓰라린 느낌이었다. 그때, 태진이 뒤에서 하영의 어깨를 두드렸다.

"선배님, 다용도실에 들어가 계세요. 좀 쉬세요."

"아니야, 괜찮다니까."

"세희 걱정시킬 거예요? 가서 쉬어요."

태진은 하영의 등을 밀면서 다용도실로 들어가게 했다. 세희는 이런 상황이 낯설기만 했다. 매번 웃기만 하던 하영의 눈물은 누구든 당황스럽게 만들 수 있었다.

"선배님한테 상처 하나가 있어. 그러니까 조금 시간을 주자. 많이 놀랐지? 나도 저번에 놀랐어. 선배님이 우실 줄이야. 아니, 물론, 사람이니까 울 수는 있는데, 선배님이 울 거라고는…."

그는 지금의 상황을 수습하듯 말을 쏟아내기 시작했다. 아마 세희가 불편할 것 같아서 하고 싶은 말이 생각을 거치기도 전에 뱉는 느낌이었다.

"언니 말이에요. 많이 힘들어 보이세요. 괜찮은 거예요?"

"하… 나도 무슨 일이 있었는지는 모르겠는데, 요즘 들어서 계속 그러시네. 선배님이 작년까지는 정말 멀쩡하셨거든? 그런데 몇 달 전부터 그래. 걱정하지 말고 쉬고 있어."

"언니가 위로가 필요한 것 같아요. 저렇게 우시는 모습 처음 봤어요."

"그런데 선배님은 정작 자기는 괜찮다고 그러서. 나한테 비밀로 하고 싶으신 건지 아니면 정말로 괜찮은 건지…."

"흐음…."

"저렇게 우셔도 몇 분 있으면 다시 멀쩡히 돌아오시니까 걱정은 안 해도 돼. 쉬고 있어."

"그래도…."

세희는 하영의 눈물이 계속 신경이 쓰였고, 태진이 쉬고 있으라고 해도 편하게 쉴 수 없었다. 계속 다용도실로 시선이 갔지만, 괜히 하영과 눈이 마주칠까 봐 얼굴을 억지로 창가로 돌렸다. 나무들이 앙상한 모습을 보이고 푸른색은 찾아볼 수가 없었다. 소나무가 몇 그루 있기는 했지만, 다른 공원에 비하면 푸른 공원이라 불릴 수 없을 정도였다.

"미안, 걱정 많이 했지?"

하영이 목을 좌우로 돌리며 다용도실에서 나왔다. 여전히 눈물 자국이 눈에 밟혔지만, 그냥 넘기고 싶었다.

"선배님, 카페 문 닫을까요?"

"아니, 괜찮으니까 됐어. 분위기 왜 이래? 내가 이렇게 만들었나?"

"그럼 펑펑 우셨는데, 막 소리 내며 웃어드릴까요?"

"그러든지."

태진은 원래의 그녀로 돌아왔다는 듯 미소를 지으며 찻잎을 우리고 있었다. 하영은 다시 세희의 옆에 앉아 세희의 차가운 손을 잡아주었다. 겨울이 다가오고 있었지만, 하영의 손은 따뜻했다. 태진이 따뜻한 녹차 석 잔을 탁자에 놓고는 건너편 자리에 앉았다.

"선배님은 이렇게 우시고는 녹차를 마시거든. 세희도 녹차 좋아하니?"

"약간 쌉쌀한 맛이 좋아요. 너무 우리면 맛이 없는데, 적당히 우리면 맛있어요."

하영이 작게 웃고는 녹차가 담긴 잔을 자신에게로 옮겼다. 그리고 온기가 식지도 않은 녹차를 조금씩 마시기 시작했다. 그리고 지긋한 눈빛으로 세희를 바라보고는 조그맣게 얘기했다.

"쉴 수 있다면 쉬었으면 좋겠어. 공부에 쫓기는 삶이 얼마나 힘든지 알고 있거든. 공부를 잘하면 모든 것이 쉬울 줄 알았어. 성공으로 가는 길이 열릴 거라고 굳게 믿고 있어서 몸이 아파도 쉬지를 못했어. 그런데 나한테 돌덩이를 던지더라고. 왜 앞만 보고 달렸냐고. 뒤 좀 돌아보라고. 처음엔 그 뜻을 모르고 있었는데, 딱 깨달았을 때, 나는 사람이 아니었어. 그냥 경주마 그 자체였지. 앞에 뭐가 있는지도 모르고 채찍질을 하니까 달렸어. 무조건 직진을 하면서 경치를 보지도 못했고. 사람들과 얘기도 하지 못했어. 그게 한이 되니까 경치도 보고 싶고, 사람들과 얘기도 하고 싶은 거야. 지금은 끝도 없이 누리고 있지만 말이야….”

“…….”

“사람들이 얘기하기를 삶을 열심히 살라는 거야. 청춘인데 여기서 이러고 있으면 어떡하냐고. 그런데 나는 이 길이 마음에 들거든. 젊은 사람이고 늙은 사람이고 자신의 길을 걷고 싶다는데 말리는 사람이 이상한 사람 아니겠니. 뭐 내 걱정을 해준다는 거야 좋은데, 나는 애초에 그런 걱정을 바라지도 않았거든.”

“맞아요. 제가 듣기 싫은 말이 학생이라면 공부를 해야 한다는 거였어요. 귀에 딱지가 생기도록 들으니까 짜증이 나더라고요.”

“그렇게 나한테 맞지도 않은 길을 강요하고서 노력 탓을 해대니 좋은 표정을 짓고서 받아들일 수 있겠어?”

“당연히 아니죠.”

세희는 살짝 화가 났는지 탁자 위에 얹혀있던 손을 주먹을 쥐고는 부들부들 떨고 있었다. 하영은 그 반응이 당연하게 느껴졌다.

“그렇다고 지금 부모님께 가서 막 하라는 건 아니야. 물론 공부는 열심히 해야 하지. 그런데 꼭 공부가 내 길을 정해주는 건 아니라는 거지. 공부를 못한다고 실패하는 건 아니고, 공부를 잘한다고 성공하는 건 아니니까. 그러니까… 뭐라고 해야 할지 모르겠네.”

하영은 머리를 긁적이다가 태진을 바라보았다. 한마디라도 거들어 달라는 눈빛이었지만 태진은 애써 무시했다. 철학적인 분위기에 끼어들기 싫었기 때문이었다.

"괜찮아요. 천천히 얘기해주세요. 그리고 이제 깨달았어요. 제가 처음에 한 질문 있잖아요. 그 답은 제가 찾아야 하는 거죠?"

"그렇게 되는 건가?"

"하하, 언니가 그렇게 얘기했잖아요. 제 길의 선택은 제 거라고. 그러니까 제가 선택할게요. 저 여기서 일할래요. 일하면서 언니랑 오빠한테 더 배우고 싶어요."

세희의 말에 태진은 깜짝 놀라 눈을 동그랗게 뜨고는 큰 목소리로 물었다. 하영은 그녀의 말을 예상했다는 듯이 미소를 지을 뿐이었다.

"정말? 하기 싫으면 안 해도 괜찮아."

"아니에요. 하고 싶어요. 그리고 쉬는 것뿐만 아니라 카페에 도움이 되고 싶어요. 저는 손님이 아니니까요."

그때 하영이 다 마신 잔을 들고 일어서며 말했다. 그녀의 말투는 단호하게 느껴질 정도였다.

"아니, 그 답을 찾기 전까지는 직원이자 이곳의 손님이야. 그러니까 쉬고 싶으면 쉬어. 아니, 쉴 수 있다면 쉬어. 이게 사장으로서 처음으로 하는 명령이자 마지막으로 하는 명령이야. 쉬어."

"알았어요. 하영 언니."

"그래, 세희야. 잘 지내보자."

"저희 직원이 4명이 된 건가요? 아, 세희는 모르겠구나. 지금은 쉬고 계신 분이 한 분 있거든. 그분도 착하신 분이니까 나중에 오면 반겨주실 거야."

"아, 알았어요."

겨울의 시작과 함께 새로운 직원이 늘었다. 세희는 '위로를 위해서'의 직원이자 손님이기에 이곳에서 어떠한 일도 하지 않기로 했지만, 정말로 하고 싶은 일이 있다면 하영의 허락을 받고 하기로 약속했다. 물론 청소는 절대 안 된다고 했기에 태진은 입을 삐쭉 내밀었고, 세희는 그 모습에 웃음이 터져 나중에 하영 몰래 도와주겠다고 했다.

"그럼 잘 부탁드려요. 언니, 오빠."

10

열 번째 위로,
내 걸음이 느리더라도

언제부터 우리는 느리게 걸으면 안 되는 걸까.
언제부터 그 행동이
욕을 먹는 행동으로 바뀐 걸까.
언제부터 내 속도를
주변 사람들의 속도에 맞춰야 했나.

하영과 태진은 찬 바람이 카페 앞을 오가는 날씨에 실내에 있으면서도 몸을 떨며 손님을 기다리고 있었다. 세희는 주말에만 이곳에 오기에 오늘은 둘만 있었고, 이곳을 찾아오는 손님도 눈에 띄게 줄었다.

"겨울엔 따뜻한 차 한 잔이 얼마나 좋은데, 다들 오질 않네요."

"경치 구경이나 할까?"

"나무도 다 앙상해졌고, 밖에 사람은 없고 뭘 구경할까요?"

"눈 안 오나? 눈사람도 만들고 싶은데…."

하영은 손이 시린 듯 두 손을 탁자 위에 올려놓고는 두 손을 비비고 있었다. 태진은 그 모습을 보고는 아침에 입고 왔던 외투에서 뜯지 않은 손난로를 그녀에게 주었다.

"이거라도 쓰세요. 그러다 손 다 닳겠어요."

"아, 난 그거 싫어. 이상한 냄새가 나잖아."

"계속 비비고 계실 거예요?"

"뜨거운 물을 컵에 담아줘. 그러면 냄새도 안 나고 나중에 마시면 되니까 아낄 수 있잖아."

"알았어요."

태진은 고개를 끄덕이고는 순식간에 뜨거운 물을 흰 컵에 담아 탁자에 올려놨다. 김이 모락모락 나는 게 보기만 해도 따뜻했다.

"벌써 일 년이 지나가네요. 벚꽃 보면서 있던 게 엊그제 같은데…"

"시간은 빨리 가니까. 가끔은 야속하다니까."

"선배님은 여름이 좋으세요? 겨울이 좋으세요?"

"갑자기 왜?"

"그냥요. 이런 질문 많이 하잖아요."

하영은 질문에 답을 하기 싫었다. 여름의 기억은 그 어떤 것보다도 더 싫은 것이었기에 겨울이 나았지만, 하영에게 겨울의 추위는 참을 수 없는 고문과도 같았기 때문이다.

"봄과 가을은 왜 빼? 난 그 두 계절이 좋은데?"

"비교하기에는 여름과 겨울이 적당하잖아요."

"싫어. 난 봄. 여름하고 겨울은 다 별로야."

태진은 하영의 대답에 질문을 괜히 했다는 마음이 들었지만, 하영다운 대답이 마음에 들었다. 보통이면은 주어진 선택지에 고민하다가 더 나은 선택을 하지만, 하영은 선택지에서 제외된 것들도 따져보았다. 그 생각이 질문하기 싫게 만들었지만 때로는 어떤 질문에 어떤 대답이 돌아올지 궁금하기도 했다.

"안녕하세요."

문이 열림과 동시에 세희와 겨울바람이 카페 안으로 들어왔다.

"어? 오늘 학교 가는 날 아니야? 여길 어떻게 왔어?"

"오빠, 뉴스 좀 봐요. 오늘 수능이잖아요."

"아, 수능. 알지. 알고 있었어. 학교 쉬잖아."

태진의 말이 빨라지며 시선이 불안한 모습이 오늘의 날짜조차도 모르는 눈치였다. 하영은 그 모습을 보다가 한숨을 쉬고는 세희에게 시선을 돌렸다.

"딱 봐도 모르고 있었네. 세희야. 뭐 마실래?"

"음… 날도 추우니까… 핫초코?"

"오, 핫초코에 마시멜로 어때?"

"좋아요. 언니가 해주는 거예요?"

"아니. 들었지? 핫초코에 마시멜로 얹어서 두 잔."

"핫초코면 선배님이 타실 수 있지 않아요? 저도 쉬고 싶은데…."

"손님 없어서 오늘은 계속 쉬었으면서 뭘 또 쉬어. 두 잔."

"하… 세희야. 언니가 타고 싶은 핫초코가 먹고 싶지 않아?"

태진은 이 순간을 벗어나기 위해 세희에게 최대한 친절하고 구슬리는 말투로 하영이 음료를 만드는 상황을 계획했다. 하지만 세희는 이미 하영과 한패였다.

"아니요. 오빠가 만들어 주는 게 맛있어요. 달콤하게 해주세요."

세희는 고등학생답지 않은 귀여운 표정을 지었고, 태진은 아무 말도 없이 뒤로 돌아 다용도실에서 핫초코 가루와 마시멜로 봉지를 꺼내왔다.

"잘했어. 세희야."

"언니 덕분이죠."

"휴, 둘이 죽이 척척 맞네. 세희야, 선배님한테 이런 건 배우지 마."

셋의 화기애애한 대화는 끝나지 않았고 카페는 곧 핫초코의 달콤한 향기로 가득 찼다.

"세희야. 길은 어때? 찾아가는 것 같아?"

"아니요. 아직은요. 그래도 처음에 여기를 왔을 때보다 많이 풀린 것 같아요."

"다행이네. 힘든 게 있으면 언제든지 얘기해. 언니나 오빠가 도와줄게."

"고마워요. 하영 언니, 태진 오빠."

태진은 핫초코를 탁자에 놓고 마시멜로를 그 위에 얹었다. 그러자 겨울에 느낄 수 있는 엄청난 달콤함이 눈에 들어왔다.

"우와, 맛있겠다."

"조심해서 마셔. 금방 만들어서 뜨거우니까."

"그런데 여기는 손님이 없네요. 아쉬워요."

"여기는 손님이 많이 오기를 바라는 곳이 아니니까 괜찮아."

"이 맛을 모두가 느꼈으면 좋겠어요. 그럼 어떤 걱정도 풀릴 텐데."

"나도. 사람들이 그랬으면 좋겠어. 언제든지 훌훌 털어낼 수 있는 걱정만 가지고 있으면 좋겠어. 걱정이 없으면 더 좋고."

하영의 오랜 소원이지만 절대로 이루어질 수 없다는 것을 알기에 가볍게 얘기했다. 만약 사람들이 걱정이 없고 모두가 행복하다면 어떤 일이 벌어질지 생각을 해본 적이 있지만, 그런 세상이 올 확률은 하나도 없으므로 헛웃음만 나오는 상상이었다.

"안녕하세요. 여기가 '위로를 위해서' 맞나요?"

대화 소리에 문이 열리는 소리가 묻힌 건지 아니면 손님이 문을 조심스럽게 연 건인지는 모르겠지만 갑자기 어디선가 나타난 손님에 그들은 당황했다.

"아, 네. 맞아요. 무슨 이유로 오셨을까요?"

"저… 제가 잘못한 건가요?"

"네?"

40대로 보이는 여성의 질문에 하영은 당황한 심정을 감출 수가 없었다. 분명 이곳의 이름을 알고 있으니 여기가 어떤 곳인지 알았을 텐데, 그녀의 말로만 생각을 해보면 경찰서와 헷갈린 게 아닌가 싶었다.

"어, 죄송한데, 위로가 필요하신 게 맞으실까요?"

어찌 보면 실례가 될 수 있는 말이었지만 여성의 질문에 따라올 수 있는 최적의 질문이었다. 여기는 고해성사를 할 수 있는 곳도 아니고, 탐정 사무소도 아니기에 그녀가 잘못했는지 아닌지는 판단해 줄 수가 없었다.

"아, 제가 말을 너무 이상하게 했네요. 제 행동이 잘못됐는지 궁금해서 물어본 거였어요. 놀라게 했다면 사과드릴게요."

"아니에요. 추우실 텐데 여기 앉아서 쉬세요. 음료는 뭐로 드릴까요?"

여성은 잠시 고민하더니 카페에 가득 퍼져있는 달콤한 향이 마음에 들었는지 핫초코를 주문했다.

"네, 금방 준비해 드릴게요. 잠시만 쉬고 계세요."

태진은 그녀의 말을 듣자마자 핫초코를 만들기 위해 다시 다용도실로 들어갔고 하영은 그녀에게 창가 쪽 자리를 안내해주며 같이 앉았다.

"일단 처음부터 천천히 얘기해 볼까요? 어떤 행동이 잘못된 것 같다고 생각하고 계신 건가요?"

"제 속도가 아주 느린 것 같아요. 어떻게 해야 빠르게 살 수 있을까요?"

여성의 말은 모두 처음부터 이해가 되지 않는 말들뿐이었다. 아마 아직 이곳을 신뢰하지 않기 때문인 것 같은데, 어떤 이유로 이곳에 왔는지 알아야 위로를 해줄 수 있기에 하영은 그녀에게 잠시 시간을 주기로 했다.

"밖이 많이 춥죠? 핫초코가 나오면 조금 쉬었다가 얘기를 다시 해요. 시간은 많으니까요."

"네…."

두 번째로 나는 달콤한 향기지만 카페 안의 모든 사람을 달콤함에 빠뜨리기에는 충분했다. 여성은 카페를 둘러보며 이곳의 분위기를 파악하고 있었다.

"핫초코 나왔습니다. 뜨거우니까 조심하세요."

태진이 조심스럽게 핫초코를 내려놓았고, 초콜릿의 달콤함과 마시멜로의 달콤함이 그녀의 후각을 자극했다. 만약 카페 안에 벽난로가 있었으면 이곳은 외국의 가정집이라고 해도 믿을 정도였다.

"감사합니다. 향이 좋네요."

그녀는 컵을 입가에 갖다 대더니 입바람을 불어 핫초코의 온기를 낮췄고, 하영은 그 모습을 가만히 보고 있었다. 이내 여성은 한 모금 마시고, 잔잔한 미소를 띠었다. 그리고 다시 입을 열었다.

"저는 뭐든지 천천히 하는 걸 즐겨요. 주변을 둘러보고, 시간이 넉넉하면 여유도 부리고 그런데 사람들은 그 모습이 맘에 들지 않는지 느려터졌다고 손가락질해요. 제가 잘못한 건가요?"

"알겠어요. 모든 것을 천천히 즐기고 싶은데 사람들이 뭐라고 한다는 거죠?"

"네, 맞아요."

"일단 손님께서 잘못하신 건 아니에요. 우리가 자동차도 아니고, 속도가 제한되어 있지는 않잖아요. 느리다고 뭐라고 하는 사람이 있다면 그 사람이 이상한 거죠."

하영의 말투는 그녀가 살짝 화가 나 있음을 대놓고 드러냈다. 그녀도 천천히 시간을 보내는 것을 좋아하기 때문이었다. 그래서 하영에게도 그런 말을 한 사람이 있었고, 순식간에 손님과 공감이 됐다.

"저는 시간이 많다고 생각하거든요. 그런데 다들 시간이 없다고 걷지 말고 뛰라고 해요. 뭐라도 하라고."

"흠, 천천히 얘기해 볼까요? 사람들은 각자 생각이 달라요. 그러니 시간을 따지는 생각도 다르죠. 누군가는 10분이 짧다고 생각할 거고, 또 누군가는 길다고 생각할 거예요. 그리고 상황에 따라 다르겠죠. 노래방 1시간은 금방 흐르지만, 공부 1시간은 느리게 가는 기분이 들죠."

세희도 고개를 끄덕이며 핫초코를 홀짝 마셨다. 태진은 커피에 관련된 잡지를 읽고 있었다.

"그러니까 느리게 걷는다고 잘못은 아니에요. 저는 급한 목표가 아니라면 천천히 걷는 게 더 좋다고 생각해요. 몇 시간 내에 어딘가를 가야 한다고 할 때, 느리게 가는 건 잘못일 수도 있죠. 사람들과의 약속을 어기게 되니까요. 하지만 평소에, 누군가와 약속이 없는 상황이라면 어떨까요?"

"걷고 싶어요. 천천히 가고 싶어요."

"그거예요. 느리게 걸으며 즐길 수 있는 건 즐기는 거죠. 경치도 구경하고, 사람들과 대화도 하고, 하고 싶은 게 있으면 느긋하게 하고, 가끔은 차 한 잔의 여유도 즐기고."

"좋아요. 느리게 걸을래요."

"그리고 사람들 말에 너무 귀 기울이지 마요. 그들 말에 휘둘리면 자신의 선택을 못 하잖아요. 내 선택이 하나도 없는 내 인생. 과연 재미가 있을까요?"

"그래도 그 사람들이 그냥 하는 말은 아니니까요."

하영의 말에 반박이라도 하듯 말을 했지만, 그녀의 말에 악의는 없음을 단번에 알 수 있었다. 상대의 선택이 더 좋아 보이고, 성공할 수 있을 것 같다는 생각은 누구나 할 수 있다. 하지만 그들이 하는 말을 '조언'으로 듣고 생각할 필요가 있다. 물론 자신의 선택대로 했다가 실패를 맛볼 수도 있지만, 그건 어쩔 수 없는 결과일 수밖에 없다. 세상에 실패를 겪지 않은 사람은 없기 때문이다. 자신의 선택이 실패를 맞이했다면 그 선택을 돌이키면서 배우면 된다. 자신의 지도에 있는 오류를 바로잡는 것이다.

실패는 두려워하면 안 된다고 하지만, 인간에게 실패는 돌이킬 수 없는 길처럼 느껴질 때가 있다. 그 선택을 두 번 다시는 선택하지 않으면 되지만 빠르게 뛰어가는 사람에게 그런 생각을 할 시간조차 없기에 배우지도 못하고 다시 똑같은 선택을 하게 된다. 학생으로 비유한다면 복습을 할 시간조차 주지 않는 것이다. 문제를 틀렸을 때, 그 문제를 고칠 시간을 주지 않는다면 그 학생은 그 문제를 다시 틀릴 것이다. 시간을 주고, 그 시간 동안 천천히 돌이켜야 한다. 하지만 우리에게 그런 시간은 사치처럼 느껴지고, 주변에서 그런 시간을 가지는 사람이 있다면 눈살부터 찌푸린다. 언제부터 우리는 느리게 걸으면 안 되는 걸까. 언제부터 그 행동이 욕을 먹는 행동으로 바뀐 걸까. 언제부터 내 속도를 주변 사람들의 속도에 맞춰야 했나.

천천히 걷고 있는 하영에게 천천히 걷고 싶은 손님은 예전부터 되뇌었던 질문을 다시금 떠올리게 했다. 많은 질문에서 그녀가 찾은 해답은 자신만의 걸음을 유지하며 걷자는 것이었지만, 해답이라고 불리던 방법은 그녀를 외롭게 만들었다. 자신만의 걸음을 유지하고 걷는 하영의 곁을 쫓아와 주는 사람은 한 명도 없었다. 다들 무리 지어 빠르게 뛰어갈 뿐이었다. 그들에게 하영은 특이한 사람이었다. 고등학생 때도, 대학생 때도. 모두가 그녀의 잘못이라 불렀고, 그렇게 더 뒤로 뒤처질 수밖에 없었다. 한 명이라도 같이 걷자고 해주었다면, 무언가 달라졌을 테다.

"저기요? 괜찮으세요?"

"아, 네?"

"제 말을 듣고 계신 건가요?"

"아, 죄송합니다. 손님께 조금이라도 더 좋은 위로를 해드리려고…."

"아… 괜찮아요. 저분이 잘 설명해주셨어요."

"네?"

손님이 가리킨 손끝에는 태진이 있었다. 하영이 깜짝 놀라 시계를 보니 족히 10분은 지나갔다. 위로하다 말고 자신의 과거를 떠올리다니, 요즘 들어 과거에 묶여 위로를 제대로 하지 못하는 자신에게 화가 났다.

'위로를 위해서'의 사장인 자신이 오히려 위로를 못 하고 과거에 사로잡혀 있다는 사실을 깨닫자 지난 일들이 주마등처럼 지나갔다. 자신은 이 카페의 사장이 될 수 없었다. 그저 말을 잘 한다는 이유로, 카페를 이어받았다는 이유로 사장이 되었지만, 이곳에 오는 손님보다도 못하다는 느낌이 들 정도였다.

"선배님, 가서 쉬실래요? 표정이 많이 안 좋아 보여요."

"아, 아니야. 괜찮아."

그녀가 고개를 저으며 손님과 대화를 이어가려고 했지만, 무슨 말로 위로를 해주어야 할지 더는 떠오르지 않았다.

"죄송합니다. 제가 지금….."

손님은 갑작스러운 사장의 사과에 당황스럽다는 표정을 지었다. 그건 태진과 세희도 마찬가지였고, 태진은 하영의 어깨에 손을 가볍게 올리며 고개로 다용도실을 가리켰다. 하영은 끝까지 남겠다고 했지만, 손님의 눈치를 보다가 천천히 다용도실로 들어갔다.

다용도실은 따뜻한 기운으로 가득했다. 겨울이 아니라는 생각이 들 정도로 포근하고 밝았다. 하영은 구석에 접혀있는 간이침대를 꺼내서 펴고는 담요를 그 위에 덮었다. 그리고 간이침대에 누워 베이지색의 천장을 바라보았다. 전등 때문에 눈이 살짝 아팠지만, 다른 곳을 보기 싫었다. 눈을 살짝 감으며 숨을 크게 내쉬는 것을 반복했다. 마치 생각을 정리하는 것처럼 보였지만, 생각이 쉽게 정리가 되지 않는 듯 숨은 안정적인 박자를 찾지 못했다.

"천천히 걷고 싶다…. 나도 그랬고, 지금 저 손님도 원하고 있다…."

하영은 계속 이곳을 찾아오는 손님이 자신의 분신이 오는 것처럼 느끼고 있었다. 자신이 느꼈던 고통을 똑같이 느끼거나, 어린 시절의 자신이 손님으로 찾아온 것 같았다.

"천천히 걷고 싶어서 걸었는데, 나는 친구를 잃었어. 저 사람은 잃지 않았으면 좋겠는데…. 그런데 뛰라고는 할 수 없어. 나도…."

어떤 생각을 해도 좋은 생각이 떠오르지 않았다. 자꾸 그녀의 과거가 모든 위로에 가위질하고 있었다. 가위로 조각난 위로는 어떻게 들어도 좋지 않게 느껴졌다. 그런 위로를 하는 것보다는 차라리 아무 말도 안 하는 게 나을 정도였다.

"그래도 위로는 꼭 해야 해. 저 손님을 그냥 보낼 수는 없어."

방법이 떠오르지는 않았지만, 손님을 그냥 보낼 수는 없다며 눈을 천천히 뜨고 일어서려고 했는데, 카페 문이 열리는 소리가 났다. 하영이 급하게 밖으로 나가자 손님은 카페를 나서고 있었고, 태진과 세희는 그녀에게 작별 인사를 하고 있었다.

"안녕히 가세요."

"네, 감사합니다."

하영이 말릴 새도 없이 그녀는 문을 닫고 밖으로 걸어나갔다. 태진이 뒤늦게 하영을 발견하고는 빠르게 그녀에게로 다가왔다.

"괜찮으세요? 조금 더 쉬고 계세요."

"아니야, 손님이 그냥 가면 안 돼. 저분을 다시…."

"괜찮아요. 오빠가 잘 얘기했어요. 언니가 하고 싶은 얘기를 잘 정리해서 저분께 얘기했어요."

세희가 하영에게 다가와 그녀의 어깨를 토닥였다. 하영은 태진을 바라보며 무슨 얘기를 했는지 물어보았다.

"흠, 저도 비밀이에요. 선배님도 저한테 숨기는 게 있으시잖아요. 그걸 밝히시면 저도 깔끔하게 얘기해드릴게요."

"에이, 됐어. 너한테는 절대 얘기 안 할 거야."

"선배님, 선배님도 위로가 필요해요. 요즘에 더 그런 생각이 들고요. 작년에는 멀쩡하셨잖아요? 어떤 분이 와도 그렇게 말을 잘 하시던 분이 요즘에는 막 울고, 말도 못 하시고…."

"맞아요. 언니. 무슨 일이 있던 거예요?"

"아니야, 이건 너희한테 얘기한다고 되는 게 아니야. 그러니까 너도 무슨 얘기를 했는지 말하지 마. 난 절대로 얘기 안 해줄 거야."

"선배님….."

"언니, 오빠가 얘기했어요. 천천히 걷는 걸 좋아하셨다고. 그래서 친구들이 다 떠났다고."

하영은 세희의 말을 듣자마자 태진을 째려보았다. 그가 해서는 안 되는 말을 한 것 같았다.

"언니, 천천히 걷는 거 좋아요. 그런데 힘들면 같이 나누고 같이 걸어가야죠. 언제까지 혼자 걸어가실 거예요?"

"어?"

세희의 말은 하영의 마음을 움직였다.

"같이 얘기 나누자면서요. 힘들면 여기 와서 얘기하자면서요. 그런데 언니가 얘기를 안 하면 어떡하라는 거예요? 언니가 얘기해놓고 왜 안 지키는 거예요?"

하영은 그녀의 말에 고개를 푹 숙였다. 그녀를 볼 면목이 없었다. 그렇게 나누자고 했으면서, 그렇게 얘기하자고 했으면서, 정작 그 약속을 자신이 지키지 못했다는 사실에 고개를 들 수가 없었다. 끝까지 숨기겠다고 한 자신이 부끄러웠다.

"미안, 내 과거를 들추고 싶지 않아서…."

"선배님, 과거를 들춰달라고 한 게 아니에요. 지금까지 오신 손님분들은 처음 보는 선배님께 어떻게 과거의 얘기를 꺼냈겠어요? 위로받고 싶으니까 꺼낸 거예요. 그리고 선배님은 그 이야기를 틀로 잡고서 위로를 만들어 줬잖아요."

하영은 가만히 서 있다가 창가 쪽으로 다가가더니 자신이 늘 앉았던 자리에 힘없이 앉았다.

"내가… 사장인데… 미안해. 직원들한테 숨기고만 있었네."

그녀가 금방이라도 눈물을 흘릴 것처럼 목소리를 떨며 얘기를 하자 세희가 그녀의 맞은편에 앉아 턱을 괴었다.

"언니. 얘기해주세요. 지금까지 무슨 일이 있었길래 그러시는지."

"그래… 그러니까…."

하영의 고등학교 시절부터 시작해서 여름의 이야기를 풀어나갔다. 마치 몇 년 동안 묶여있던 상자의 매듭을 푸는 것 같았다. 그 상자는 낡고 헤져서 어떤 사연이 있던 상자인지 궁금했지만 건들지 말라는 팻말이 있었기에 아무도 건들지 못했었다. 하지만 이제 상자가 열리기 시작했고, 상자의 내용물은 태진과 세희를 놀라게 했다. 아주머니의 존재와 하영의 사연은 그들의 눈물샘을 자극했고, 영화 같은 이야기를 들으니 하영의 행동과 말이 조금씩 이해되기 시작했다. 세희는 당연히 처음 듣는 얘기들이었지만, 태진도 그녀의 과거를 조금만 알고 있었기에 가만히 들을 수는 없었다.

"선배님, 왜 지금까지 숨기고 계신 거예요? 많이 힘드셨잖아요. 이렇게 위로가 필요한 사람이 왜 가만히 계셨어요?"

"나는 위로를 받은 줄 알았어. 아주머니한테 받았다고 생각했거든."

하영의 말도 맞는 부분이 없지는 않았다. 아주머니는 분명 하영에게 위로의 손길을 주었다. 하지만 커다란 상처를 아물게 할 수는 없었다. 가족과 행복을 잃어버린 그녀였기에 한 사람의 보살핌으로는 절대로 나을 수 없는 상처였다. 상처는 조금씩 아물었지만, 아직 틈이 있었고,

그 사이로 눈물이 들어가 쓰라린 고통을 느끼자 다시 상처가 벌어진 것 같았다.

"선배님, 우리 카페 문 잠깐만 닫아요. 조금 쉬어야 할 것 같아요. 아주머니의 꿈도 중요하지만, 일단은 선배님에게는 휴식이 필요해요."

하영은 절대로 쉬기 싫었지만, 태진의 말을 무시했다가는 더 큰 일이 벌어질 것 같다는 생각에 잠시 휴업을 하기로 마음먹었다. 그래서 '위로를 위해서'는 전무후무한 휴업을 맞이하고 다시 돌아오기로 했다.

이는 하영을 위한 것이기도 했지만 다른 이들을 위한 휴가이기도 했다. 태진은 개업하고서 아팠던 적 빼고는 한 번도 쉰 적이 없었으며, 세희는 공부에 더 집중해야 했다.

하영은 카페 벽을 어루만지며 천천히 얘기했다.

"조금만 기다려줘. 쉬었다가 올 테니까. 그때까지 조금만 기다려."

11

열한 번째 위로,
행복은 언젠가는 돌아온다

나는…. 널 만난 후부터 행복했어.
그보다 더 큰 행복은
세상에 없을 거야.
그러니 하영이 너도
기다리면 언젠가는 올 거야.

한 달 정도 '위로를 위해서'는 문을 닫았다. 이렇게 길게 쉰 적이 없었기에 주변 카페 사장님들도 그들을 걱정하고 있었다. 하지만 분명 하영이 그들을 불러 모아서 얘기한 적이 있었다.

"어… 제가 이렇게 여러분을 모은 이유는 다름이 아니라 카페를 잠시 쉬려고 해요. 체력과 정신이 힘든 것 같다는 생각이 들었어요. 저희가 쉬는 동안에 만약 위로가 필요한 손님이 온다면 살갑게 맞이해주세요. 그들은 우리가 없는 동안에도 찾아오실 거예요. 커피를 주문한다면 공짜로 주세요. 돈은 제가 나중에 한꺼번에 낼 테니까요. 힘들어한다면 토닥여 주고, 말 한 번 건네주세요. 이런 부탁을 해서 죄송해요. 만약 부탁을 들어주기 싫으시다면 돈을 받고 팔아도 되고, 그냥 내버려둬도 돼요. 그러니까 당분간 잘 부탁드려요."

"얼마나 쉬려고?"

"한 달만 기다려 주세요. 반드시 다시 돌아올게요. 저는 여기를 절대로 떠나지 않을 거예요. 그러니까 반드시 돌아올 테니까. 그동안 부탁드릴게요."

하영의 부탁은 들어주기 힘든 부탁이었다. 손님에게 음료를 무료로 제공해 주고, 위로해달라는 부탁은 아무도 들어주지 않을 게 뻔했지만, 하영은 문을 닫는 순간부터 손님이 걱정되었기 때문에 어쩔 수 없었다.

"그래, 잘 쉬다 와."

한 사장이 웃으며 하영을 안심시켰다. 이 말을 시작으로 몇몇 사장이 그녀에게 말을 건넸다.

"맞아, 누구 덕분에 우리가 웃으며 장사할 수 있었는데, 그거야 당연히 해주지."

"나는 나중에 돈 주지 마. 나도 그런 일 한 번쯤은 해보고 싶었어."

사람들이 한 명씩 자신의 의견을 얘기하자, 회장이 나서서 집중을 시켰다.

"어, 하영 양이 카페를 쉬는 동안 우리는 그들의 카페를 잘 보고 있다가 손님이 찾아온다면 우리가 번갈아 가며 도와주는 거로 합시다. 혹시 이 의견에 반대하시는 분 계실까요?"

사람들은 눈치를 볼 새도 없이 없다는 말을 서로 내뱉었고, 하영에게 잘 쉬고 오라는 말을 하기 바빴다.

"감사합니다. 정말 감사해요."

하영은 뜻밖의 반응에 무슨 말을 해야 할지 몰라 그저 감사하다는 말만 반복했다.

"오빠, 오랜만에요!"

"어, 세희야. 잘 지냈어?"

어느덧 시간은 1월 중순이 되었다. 카페 앞에서 마주친 태진과 세희는 그동안 어떻게 지냈는지 얘기를 하고 있었다. 태진은 커피 학원에 다니며 커피에 대해 더 배웠고, 세희는 공부에 지쳐 겨울방학을 알차게 쉬는 방향으로 쓰고 있었다. 둘은 오랜만에 하는 얘기에 카페로 들어가지 않고 문 앞에 서 있었지만, 하영의 모습은 보이지 않았다.

"언니는 조금 늦나 보네요."

"그러게, 설마 날짜를 까먹으신 게 아닐까?"

그때, 카페 문이 열리며 낯익은 모습이 둘의 앞에 나타났다.

"다들 안 추워? 안 들어오고 문 앞에서 뭐 해?"

"어, 선배님! 벌써 오신 거예요?"

"우리 직원들 추울까 봐 난방기 틀어놨고, 먼지 때문에 힘들어할까 봐 청소도 다 했어. 그러니까 얼른 들어와. 감기 걸리지 말고."

둘은 카페 안으로 들어갔고 오랜만에 느끼는 '위로를 위해서'의 온기가 낯설게 느껴졌다. 이곳의 온기는 따뜻한 기운보다는 포근한 느낌에 더 가까웠다.

"그래, 여기가 '위로를 위해서'지. 그렇지?"

"맞아요. 정말로 오고 싶었어요."

"참나, 너희들은 여기가 없어지면 어떡하려고 그래? 얼른 손님 맞이할 준비나 해."

"그나저나 선배님은 어떻게 지내셨어요? 마음은 진정이 되셨어요?"

"음… 아직은."

"그래요? 괜찮으신 거죠?"

"응. 그래도 많이 진정할 수 있었어. 고마워. 결단을 내려줘서."

"언니, 혹시라도 더 쉬고 싶으면 언제든지 얘기해요. 언니는 몇 년을 쉬어도 괜찮아요."

"세희도 고마워. 덕분에 잘 쉬었어. 그리고 걱정은 안 해도 돼."

그들이 오늘의 운영을 시작하자 문이 열리며 회장이 들어왔다. 그의 손에는 작은 다육 식물이 심어진 화분이 있었다.

"아, 하영 양. 잘 쉬다 왔니? 다행이네."

"안녕하세요. 걱정해 주셔서 감사해요."

"그동안 많은 손님이 오셨어. 우리가 최대한 도와드리려고 했는데, 워낙 카페 손님도 많아서 몇 분은 놓쳤어. 그래도 한 분마다 도움이 되기 위해 큰 노력을 했으니 괜찮을 거야."

"감사해요. 제가 괜히 무리한 부탁을 한 건 아닌지…."

"아니야. 하영 양 덕분에 카페들이 개성을 찾지 않았나. 선물을 받았으니, 보답해야지. 아, 이건 선물일세."

회장은 잠시 자리를 찾더니 책장 앞자리에 앉아서 조심스럽게 얘기를 꺼냈다.

"혼자서 얼마나 힘들었는지 우리는 모르고 있었어. 저번 주에 사장님들께 물어보니 하영 양이 존경스럽다는 말도 나올 정도였지. 가벼운 걱정을 하고 계시던 분도 있었지만, 우리가 오히려 걱정될 정도로 심각한 분도 왔었어. 우리도 산전수전 다 겪었다고 떵떵거리며 살았는데, 우리보다 더 심한 분도 있다는 걸 처음 알았어."

회장은 턱을 어루만지며 그간 있었던 일을 얘기했다. 어떤 걱정을 하는 사람이었는지, 누가 그에게 어떤 위로를 건넸는지, 기억나는 것들은 전부 얘기했다.

"아, 2주 전쯤에 백지환 군도 왔었네. 아버지께서 많이 쾌차하셨다고 얘기하더군. 유 사장님을 만나고 싶었다고 얘기했는데, 한 달 동안 휴가를 썼다고 얘기하니, 잘 지내고 있다고 대신 전해달라고 했어."

"아쉽네요. 얼굴 한번 보고 싶었는데…."

회장은 의자에서 일어나고는 창밖을 보면서 입고 있던 코트의 옷깃을 다듬고는 하영을 바라보았다.

"힘들면 언제든지 얘기해. 다른 사장님들도 언제든 부탁해달라고 얘기했으니까. 그러니 크게 염려하지 말고, 이곳에서 위로를 해주게."

"감사합니다. 나중에 선물을 나눠드릴게요."

그가 카페를 나서고 얼마 안 있어 밖에 눈송이가 떨어지기 시작했다.

"와, 눈이네. 오늘 눈이 온다고 했었나?"

"오빠, 눈사람 만들래요?"

"하하, 아직 쌓이지도 않았어. 조금만 기다려."

하영은 창가 자리에 앉아 창문으로 밖을 쳐다보았다. 한 달 만에 앉은 자리에 한 달 만에 바라보는 밖이었지만 변한 것 없이 그대로였다.

"공원이 내 친구였어."

"네? 선배님 방금 뭐라고 하셨어요?"

"공원이 내 친구였다고. 나랑 늘 같이 있어 줬거든. 아주머니랑 나를 이어준 것도 공원이었고, 주학 아저씨도 기억나지? 공원이 이어줬잖아. 어떻게 보면 나를 위해 인연을 만들어 준 것 같아."

하영은 늘 공원을 보고 있었다. 봄에는 분홍색의 경치를, 여름에는 공원에서 뛰어다니는 아이들을, 가을에는 붉은색의 나무를, 겨울에는 새하얀 눈밭을 보았다. 마치 그녀의 마음을 위로해주는 것 같았다. 늘 여기에 있을 거라고. 같이 있어 줄 거라고.

"오랜만입니다."

카페 문이 열리며 익숙한 저음의 목소리가 들렸다.

"어! 아저씨!"

태진의 목소리에 하영이 급하게 문으로 눈을 돌리자 주학이 서 있었다. 그는 못 알아볼 정도로 깔끔하게 차려입었고, 표정도 몰라보게 밝아져 있었다.

"건강히 계셨습니까. 안녕하세요."

하영은 그의 손을 잡고 악수를 해주었다. 예전에는 차가웠던 손이 따뜻하게 바뀌었다.

"아, 여기는 지난달에 새로 들어온 직원, 세희예요. 고등학생이에요. 그리고 세희야, 이분은 우리 직원이신 주학 아저씨. 개인 사정 때문에 저번 봄에 휴가를 쓰신 분이야."

"아, 안녕하십니까. 처음 뵙겠습니다."

"아, 넵."

둘의 인사가 끝나자 하영이 주학에게 무슨 일이 있었는지 물어보았다. 태진과 세희도 의자에 앉아 그의 얘기를 듣기로 했다. 주학은 그동안에 갔던 곳들을 읊었고, 어디를 갔다 왔는지 정리를 해보니 전국을 누비고 다녔다.

"주은이가 가자고 했던 곳들만 가기로 했는데, 이렇게 오래 걸릴 줄은 몰랐습니다. 제가 휴가를 많이 썼으니 아마 더는 쓸 수 없겠죠. 그러니 열심히 일하겠습니다."

"아니에요, 직원 마음대로, 잊지 않으셨죠? 그러니까 마음 놓고 쓰세요. 저희도 한 달 동안 쉬다 왔어요."

"사장님 덕분에 사람들을 많이 만났습니다. 그들은 저의 이야기를 잘 들어주었고 걱정해주었습니다. 그리고 자신의 집에 초대하고 저녁과 잠을 잘 수 있는 곳까지 제공해주는 분도 계셨습니다. 저한테 살갑게 대해주시는 분이 이렇게 많다는 것을 처음으로 느꼈습니다."

"다행이에요. 그동안 잘 지내셨다니 다행이에요."

"감사합니다."

"아저씨, 오랜만에 커피 드실래요? 제가 학원을 다녀와서 더 맛있을 거예요."

"아, 그럼 한 잔 부탁드리겠습니다. 사장님, 이건 사장님께 드리는 선물입니다."

그는 예전과 같은 색의 외투지만, 깔끔해 보이는 외투의 안주머니에서 흰색의 편지 봉투 하나를 꺼내 주었다. 그 봉투는 주학의 외투 주머니에 넣었던 돈 봉투와 같은 봉투였다. 심지어 안에는 그때 금액 그대로 있었다.

"이건… 하나도 안 쓰신 거예요?"

"아, 사람들이 많이 베풀어주신 덕분입니다. 이 외투도 어떤 분께서 주셨습니다."

"생각보다 알차게 다녀오셨네요. 많이 바뀌셨어요. 물론 내적으로요."

"하하, 칭찬 안 해 주셔도 괜찮습니다. 예전의 저는 사람들을 피하고 다녔습니다. 그런데 정작 만나서 얘기를 해보니 저와 비슷한 분들이 많아서 공감하다 보니 그들과 하루를 보내고, 그들의 차를 타고, 그들과 밥을 먹었습니다. 이건 제가 무사히 휴가를 갔다 올 수 있게 한 사장님의 마음씨였습니다."

"아저씨, 잘 다녀오신 것만 해도 괜찮아요. 이건 아저씨를 위한 선물이기도 했지만, 주은이를 위한 선물이기도 했어요. 이건 아저씨 거예요."

주학은 하영의 마음씨에 적지 않게 감동했는지 몸을 조금씩 떨고 있었다. 태진은 그에게 차를 한 잔 내주었고, 세희는 그가 어떤 사람인지 파악하기 위해 가만히 바라보고 있었다.

"제가 여행을 하는 동안, 수많은 사람을 만났습니다. 모두가 저에게 친절하게 대했지만, 결국 저는 이방인이었습니다. 떠나갈 사람이었고, 머물 곳이 없는 사람이었기에 그들의 친절은 그리 크지 않았습니다. 그런데 여러분은 이방인인 저에게 친절했고, 머물 곳도 주었습니다. 처음 본 사람이라고는 생각이 되지 않을 정도로 친절하게 대해준 것에 언제나 감사할 따름입니다. 정말로….”

하영은 오랜만에 본 주학의 얼굴에 미소가 떠나지 않자 한 가지 놀랄만한 제안을 했다.

“아저씨, 만약 여기저기를 떠나고 싶다면 언제든지 휴가를 써도 괜찮아요. 사람을 만난다는 게 아저씨에게 큰 위로가 됐을 거예요. 정말로 그 방법으로 위로된다면 직원을 그만둬도 괜찮아요. 여기에 직원으로 있으면 족쇄가 될 수도 있어요.”

“그건 너무 염치가 없지 않습니까. 괜찮습니다.”

“제가 아저씨를 직원으로 뽑은 이유를 아세요? 돈이 없어 보여서도 아니고, 불쌍해 보여서도 아니에요. 아저씨를 위한 위로를 찾기 위해 모신 거예요. 그런데 드디어 위로의 방법을 찾았어요. 그러니까 아저씨가 이제는 여기의 직원으로 있어야 할 이유도 없어진 거죠. 직원으로 있으면 휴가를 써야 하고, 그러면 저희 눈치를 봐야 하고. 온전히 아저씨만 불편하실 테죠.”

“그렇습니까. 사장님의 마음은 잘 알겠지만, 아무리 그건 예의가 없다고 생각합니다. 약 1년 동안 휴가를 쓴 것도 모자라 저 편해지자고 직원을 그만두다뇨. 그건 사장님의 친절에 배신하는 겁니다.”

주학의 표정은 꽤 굳은 마음을 먹은 것처럼 단호했다. 하영의 선의가 이해가 되기는 하지만, 주학에게 그런 배신은 절대로 받아들여질 수 없는 짓이었다. 하지만 계속 이렇게 마음을 굳히기에는 한편으로는 불안함이 자리 잡고 있었다. 자신이 새장에 갇혀 있던 새라는 것을 알게 되었기 때문이었다. 여행을 다니면서 자신이 새장에 갇혀 있었는데, 그를 새장에 가둔 사람이 바로 자신임을 깨닫게 되었다.

사람과 만남을 피하며, 얘기도 하지 않고서 사람들이 자신을 피하자 새장에 자신을 가둬두었다. 그렇게 새장의 문과 함께 마음도 닫혔고, 자발적인 외톨이가 되었다. 하지만 그 문을 하영이 열어주었고, 바깥을 날던 새는 자신이 밖을 날아야 하는 새라는 것을 느끼게 된 것이었다.

"아저씨, 만약 여행하다가 돈이 필요해지면 여기에 와서 다시 직원으로 일해주세요. 저희는 언제든지 여기에 있을 거고, 환영해줄 테니까요."

하영의 말을 듣자 주학은 굳은 뻔한 마음이 부드러워지는 것을 느꼈다. 하영은 그에게 선의를 베푼 것이 아니라 위로를 하고 있었다. 마치 새장을 부수려고 하는 사람처럼 그에게 방해가 될 수 있는 것을 다 알고 있었다. 주학은 그녀의 생각과 마음씨에 할 말을 잃었고, 그저 태진이 우려준 차를 마시고 있었다.

"아저씨, 대신 제안이 한 가지 있어요."

태진이 갑자기 주학에게 제안이 있다며 말을 걸었다. 그의 제안은 한 달에 한 번씩 여행하며 무슨 일이 있었는지 편지에 적어서 카페로 보내는 것이었다. 편지 가격은 그렇게 비싸지는 않으니 소통에도 편한 방법이기도 했다. 하지만 소통을 서로 할 수는 없으니 다른 방법을 찾으면 다시 얘기하기로 정하고, 그들은 대화를 오가며 주학의 앞날을 응원해주었다.

"그럼 다음에 또 뵙겠습니다. 정말로 이렇게 다시 떠나서 죄송합니다."

"아니에요. 건강하세요. 제 말 꼭 기억하세요. 아저씨는 여행하는 동안은 직원이 아니니까 저희 걱정은 절대로 하지 마시고 본인 걱정만 하세요. 그리고 돈이 필요하면 그때부터는 직원이에요. 언제든지 찾아와서 일하면 돼요."

주학은 허리까지 굽히며 인사를 했고, 하영과 태진이 그의 모습이 사라질 때까지 카페 밖에서 손을 흔들었다. 그의 모습이 보이지 않자 세희가 궁금한 점을 물었다.

"언니, 괜찮아요? 저분이 그걸 가지고 악용하면 어떡해요?"

"저분은 절대로 그럴 분이 아니셔. 그리고 이게 아주머니의 뜻이야. 위로가 필요한 사람이 웃을 수 있다면 그걸로 괜찮으니까."

"아니, 손님도 없는데, 제 월급까지 주시고, 저분까지 주면 돈은 어떡하고요?"

"아, 너한테 얘기를 안 했구나. 아주머니가 모아둔 돈이야. 아주머니는 다양한 방법으로 돈을 모으셨어. 그런데 자신이 쓰려고 모은 돈이 아니라 꿈을 위해 모으신 거지. 자신이 그 꿈을 이룰 수는 없다는 것을 알고서 그 꿈을 이룰 수 있는 사람을 위해 모은 거야."

"그게 언니고요?"

"아니, 나는 그 꿈이 뭔지도 몰라. 그런데 아주머니가 예전에 그렇게 얘기했었어. 내가 언젠가는 자신의 꿈을 이루어 줄 거라고. 그러니까 돈을 쓰고 싶은 만큼 쓰라고, 돈은 그냥 종이에 불과하니까 땅이 없다면 종이비행기를 만들어 날아가고, 바다라면 종이배를 접어 나아가라고 하셨지."

"멋진 말이네요. 그런데 돈을 그냥 종이로 보기는 힘들잖아요. 정말로 멋진 분이세요."

"맞아. 아주머니가 하시던 말은 다 처음에는 이해가 되지 않았어. 그런데 아주머니처럼 살려고 노력을 하니 점점 닮아가는 것 같아. 아주머니를 실망하게 하는 일은 하지 않으려고 노력하는데, 그게 쉽지는 않아."

"잘하고 있어요. 언니는 좋은 사람이잖아요."

세희의 싱긋한 미소에 하영은 뿌듯함을 느꼈다. 힘들어하던 손님에서 이제는 그녀를 위로해 줄 정도로 성장한 직원이 된 것이 뿌듯했다. 마치 아주머니와 자신의 과거를 보는 것 같았다. 아주머니도 카페에 적응한 하영을 보며 뿌듯하다고 했고, 하영에게 온갖 칭찬을 아끼지 않았다. 세희까지 있으니 이 카페는 끝나지 않을 것이라는 확신도 느꼈다.

"세희야, 우리 눈사람 만들래? 카페를 열었다는 표현을 해야지. 선배님은 메뉴판 부탁드려요."

"저는 작은 눈사람 만들 거예요. 오빠는요?"

"글쎄…. 나는 큰 거로 만들어볼까?"

"나 빼고 눈사람 만든다는 거야? 메뉴판은 나중에 해도 되니까 같이 만들어. 그런 내가 중간 크기의 눈사람을 만들게."

"선배님은 눈사람 못 만들잖아요. 저번에도 만들었는데 머리가 더 커서 넘어지고 그랬잖아요."

하영은 할 말이 없었지만 이미 세희가 다용도실에서 하영의 장갑까지 챙겨와서 억지로 나가는 척 같이 나갔다. 태진과 세희는 바로 눈을 굴리며 눈사람을 만들 준비를 했는데, 하영은 그 모습을 바라보고만 있다가 문득 아주머니와의 과거를 떠올렸다.

"하영아, 어때? 예쁘지 않니?"

"눈사람이네요. 그런데 왜 만들어요? 어차피 녹잖아요."

"매년 겨울마다 찾아오는 손님이야. 이 친구도 우리 카페의 손님이지."

"눈사람이요? 무슨 손님이요?"

"이 친구는 겨울에만 카페로 오는 친구야. 그러니까 추운 겨울에만 사람들과 만나고, 웃을 수 있는 거지. 그래서 나뭇가지처럼 앙상한 팔을 벌려 안아달라고 하는 거야. 다른 계절에는 볼 수도, 안을 수도 없으니까."

하영은 아주머니가 만든 눈사람을 바라보았다. 나뭇가지로 된 팔로 지나가는 사람들한테 안아달라고 하고 있었다. 자신의 온도는 잊은 채 따뜻한 포옹을 원하고 있었다.

"행복도 눈사람이랑 똑같아. 지금은 있다고 느낄 수 없겠지만 반드시 돌아오거든. 때가 아닐 때 눈사람을 만나길 원하면 녹지도 않는 가짜 눈사람은 언제든지 만날 수 있는 것처럼, 행복을 네가 찾는다고 진짜 행복은 다가오지 않아. 첫눈이 막 내릴 때, 뜻하지 않게 그날이 찾아오는 것처럼 행복도 뜻하지 않게 찾아와. 그 찾아오는 날이 언젠가는 있을 거야. 웃음을 잃고 싶어도 잃을 수 없는 날 말이야."

"아주머니는 행복하세요?"

"나는…. 널 만난 후부터 행복했어. 그보다 더 큰 행복은 세상에 없을 거야. 그러니까 하영이 너도 기다리면 언젠가는 올 거야."

"아주머니, 이게 제 행복인가 봐요. 너무 늦게 찾아오긴 했는데, 그래도 달콤하네요. 아주머니의 꿈이 무엇이었는지 알려주셨더라면 아주머니도 편하게 보고 계실 텐데, 아주머니를 더 행복하게 할 수 있었는데, 아쉽네요. 그래도 잘 보고 계실 거라고 믿어요. 나중에 꼭 놀러 오세요."

하영은 하늘을 바라보며 얘기를 하다가 고개를 숙여 땅을 몇 초간 바라보고는 다시 하늘을 올려다보았다.

"엄마, 나 이제 엄마가 이해되려고 해. 왜 그렇게 나누려고 했는지, 바보처럼 나누기만 했는지 이해가 돼. 너무 늦게 엄마를 이해해서 미안해. 늦었지만 내 사과를 받아줘. 정말로… 정말로… 미안해."

"선배님, 거기서 뭐 하세요? 빨리 만들어요. 눈 다 더러워지겠어요."

"맞아요. 아, 오빠, 이건 내 거잖아."

"싸우지 마. 천천히 만들어도 돼. 눈이 오늘만 오는 건 아니잖아."

하영이 태진과 세희 쪽을 보니 이미 꽤 커다란 눈사람이 만들어져 있었다. 그녀가 눈사람 쪽으로 걸어가다가 길쭉한 나뭇가지를 두 개 주워서 눈사람에 꽂았다. 그리고 무표정의 눈사람에 있는 원두를 옮겨 웃는 얼굴로 만들어주었다.

"자, 됐지? 이게 우리의 눈사람이야. 뭘 여러 개를 만들려고 해. 다른 사람도 만들어야지. 여기에다 두고 사진 한 장 찍을래? 그러고 보니 우리 셋이서 사진을 찍은 적이 없네."

겨울바람이 차가운 어느 날, 눈사람을 가운데에 두고 셋이서 찍은 사진은 다용도실 서랍장 위에 두었고, 그 옆에는 다육 식물이 있는 화분을 두었다.

"얘들아. 우리 이번 해에도 열심히 지내자. 늘 웃고 있는 눈사람처럼 웃음을 잃지 말고, 서로 보듬어주고, 여기에 있자."

셋은 서로 부둥켜 껴안으며 절대로 깨지지 않을 약속을 했다.

시간은 훌쩍 흘렀지만, 카페는 늘 똑같았다. 손님은 늘 3명 정도를 유지했고, 여유로운 하루가 떠나지 않는 곳이었다. 사람들은 그 부분이 맘에 들었고, 자신의 하루를 여유롭게 보내기 위해 오는 사람들이 많았다. 물론 위로를 받기 위해 온 사람도 있었지만, 다들 가벼운 위로만 해주어도 만족하며 카페를 떠났다. 저녁에 가까워지자 손님은 다시 줄어들었고, 마지막 손님으로 보이는 분이 나간 시간이 4시 정도였다.

"선배님, 이제 더는 안 오시겠죠? 어제는 1시 손님이 마지막이었잖아요. 4시면 많이 오신 거니까요."

"그러게. 벌써 시간이 이렇게 됐네. 정말로 빨리 가는 것 같아. 청소하고 마감할까?"

"네."

태진은 빗자루로 카페를 청소하고 하영은 의자를 정리하고 탁자에 물을 뿌리며 닦고 있었다. 갑자기 태진이 말을 걸었다.

"선배님, 또 1년이 지나가네요. 벚꽃을 본 게 엊그제 같은데…."

"그러니까. 많은 일이 있었는데, 시간은 순식간이야. 이렇게 빨리 갈 줄 알았다면 조금이라도 더 천천히 걸을 걸 그랬네."

"여기서 더 천천히요? 어떻게요?"

"마치 1년을 책 한 권으로 쓸 수 있을 정도야. 내 말을 믿을 수 있겠어? 이것보다 더 천천히 걸어야 하는데…."

"에이, 어차피 내년도 있고, 내후년도 있잖아요. 아직 앞날은 많아요. 그러면 그때 더 천천히 걸으면 되죠."

"그래, 네 말이 맞네. 천천히 걸으며 너도, 세희도, 주학 아저씨도 경치를 봤으면 좋겠어. 얼마나 예뻐. 이 공원만 봐도 예쁜데, 여기보다 더 멋지고 예쁜 곳이 얼마나 많아. 여기 왔었던 손님들도 그 걱정을 여기에 두고 간 것처럼 버릴 것은 버리고, 위로를 얻은 것처럼 얻을 것은 얻고. 그리고 아주머니가 얘기한 것처럼 웃기만 하고 말이야."

"선배님, 그러다가 또 우시겠어요. 아련한 말투 어색하거든요?"

"너는 감동 깨뜨리는 게 재미있어? 그리고 이제 안 울 거야. 내 눈물이 그렇게 흔하지는 않거든."

하영의 말을 듣는지 안 듣는지 태진은 밖을 바라보았다. 나무는 다시 살집을 불린 것처럼 통통해지고, 다시 푸른색이 보이기 시작했다. 새들의 지저귐이 다시 배경음악으로 깔리고, 겨울의 매서운 추위는 다시 찾아올 겨울을 위해 숨어버렸다.

"언니, 오빠. 저 왔어요."

따뜻하게 옷을 입은 세희가 벙어리장갑으로 문을 밀며 들어오며 밝게 인사했다.

"어? 어떻게 왔어? 학교가 벌써 끝났어?"

"학교 일찍 끝나는 날이에요. 이제는 집보다 여기가 편해서 왔어요."

"부모님이 걱정하시지는 않아? 주말이 아니라 평일에도 이렇게 오면 말이야."

"부모님이 처음에는 주말에만 가라고 허락하셨어요. 그런데 카페를 갔다 오면 제 얼굴이 편해 보인다고 더 가고 싶으면 가도 된다고 얘기해주셨어요. 대신 숙제랑 공부 다 하고요."

"좋아. 그러면 청소 다 하고 우리끼리 얘기하고 있을까? 태진아, 음료

추천 좀."

"흠, 제가 편한 거로 한다면 녹차긴 한데, 핫초코 드실 거죠?"

"당연하지. 세희도?"

"네, 저도."

"그러면 왜 추천을 해달라고 하신 거예요? 그냥 겨울 메뉴로 핫초코 하나로 고정할까요?"

"저기 추천 메뉴판에 적혀 있잖아. 못 봤어?"

태진이 급하게 밖으로 나가 메뉴판을 보자 흰 글씨로 쓰여 있었다.

'추운 겨울에는 눈처럼 하얀 마시멜로가 얹어진 핫초코.'

"선배님, 이건 또 언제 쓰신 거예요? 이제 메뉴판 쓰기 귀찮다고 하시지 않았어요?"

"귀찮다고 했지 안 한다고는 안 했어. 핫초코 3잔."

"알겠어요. 금방 준비할게요."

태진이 다용도실로 들어가자 세희가 웃기 시작했다.

"흐흐, 역시 언니 말이 맞네요."

세희는 이상한 말과 함께 주머니에서 흰색의 분필을 꺼냈다. 그리고 하영도 참고 있던 웃음을 터뜨리고는 분필을 자신의 주머니에 넣었다.

"너도 잘 쓰는데? 나는 그냥 먹고 싶은 메뉴를 쓰라고 했는데, 내가 쓰는 거랑 비슷하게 썼네."

"옆에서 배웠으니까요. 언니가 메뉴 쓰러 나갈 때마다 같이 나가서 옆에서 봤잖아요."

태진이 다용도실에서 나오는데, 둘이 웃고 있자 또 무슨 일을 벌이고 있는 것 같아 투정을 부렸다.

"또 저 빼고 무슨 일을 벌이시는 거죠? 선배님, 딱 얘기해요. 안 그러면 핫초코 안 만들 거예요."

그들의 대화로 카페는 시끄러워졌다. 그리고 하영의 미소는 얼굴을 떠나지 못했다. 마치 드디어 제자리를 찾은 것처럼 억지로 짓는 웃음이 아닌 부드러운 웃음이었다.

"선배님, 진짜 무슨 얘기를 하신 거예요?"

"비밀이야."

"아, 제발요. 이거 따돌리는 거예요."

"내 마음이야."

"그럼 뭐하면 알려주실래요? 매일 핫초코 만들어 드릴까요? 아니면 녹차? 네?"

"그냥 같이 경치나 봐줘. 어디 다른 곳으로 가지 말고 여기서 경치나 보자. 세희도 같이 보자. 벚꽃 좋아하지?"

"좋아요. 너무 좋아요."

"아, 진짜. 선배님, 뭔 얘기였는데요? 세희야, 넌 알려줄 수 있잖아."

"나도 언니처럼 비밀!"

가족이 만난 것처럼 화기애애한 분위기에 달콤한 핫초코의 맛은 겨울을 보내기 제일 좋은 방법이었다. 이제 다시 봄이 찾아오면 사람도 많아질 테고, 위로를 해주기 바쁠 것이다. 하지만 카페는 이제 쉬지 않는다.

계속 이 자리에서 위로가 필요한 모든 이들을 기다리고 있을 거고, 이곳에 찾아와 주길 바란다.

"어서 오세요. '위로를 위해서' 입니다. 그리고 안녕히 가세요."